《丁丁上学记》·

丁丁是光明小学的一名小学生，他活泼、淘气，还有那么点儿小智慧。爸爸妈妈想，这小子上小学，肯定一点问题都没有！谁料到刚入学的时候，他像很多新同学一样，在学习中经常会犯一些小错误，丁丁头都大了！

后来，在老师、父母和同学们的帮助下，丁丁不断努力，逐渐养成了良好的学习习惯，掌握了高效的学习方法，提升了各科的学习能力，学习成绩有了明显的提高。在这个过程中，丁丁身边发生了好多好玩的故事，他用自己的故事告诉大家：学习原来真的可以这么轻松、有趣！

让我们和丁丁一起，来尽情享受上学的快乐吧！

②

让 小 学 生 越 学 越 聪 明 的

60种高效学习方法

丁丁
上学记

主 编 刘 蕾 **副主编** 单婷婷

编委会

胡 培 章家慧 郑 义 隋振业 李鹤伟

田 攀 陈宏伟 陈年年 王 蕴 冯 民

王 璘 王雪娟 武瑞恒 万春耕 毛淑芬

湖北长江出版集团

湖北教育出版社

（鄂）新登字02号

图书在版编目（CIP）数据

丁丁上学记：让小学生越学越聪明的60种高效学习方法 / 刘蕾著.
— 武汉：湖北教育出版社, 2011.2
ISBN 978-7-5351-6437-7

I. ① 让… II. ① 刘… III. ① 小学生 – 学习方法
IV. ① G622.46

中国版本图书馆CIP数据核字（2011）第010027号

出版发行	湖北教育出版社
邮政编码	430015　电　话　027-83619605
地　址	武汉市青年路277号
网　址	http://www.hbedup.com
经　销	新 华 书 店
印　刷	北京市燕鑫印刷有限公司
开　本	710mm×1000mm　1/16
印　张	13
字　数	150 千字
版　次	2011年3月第1版
印　次	2015年10月第18次印刷
书　号	ISBN 978-7-5351-6437-7
定　价	26.80元

如印刷、装订影响阅读，承印厂为你调换

爸爸
管理者中的教育家，教育家中的管理者。

妈妈
被丁丁称为无所不通的"学习秘书"。

叔叔
高中老师，丁丁的学习"救星"。

金光
丁丁的同桌、好朋友兼学习伙伴。

姚伟
班内的"小巨人"，学习落后分子。

孙芳
戴眼镜，被丁丁称为"可爱的恐龙"。

代建
肯德基的"忠实饭丝"。

李老师
严谨的数学老师。

孙老师
慈祥的语文老师。

张老师
可爱的英语老师。

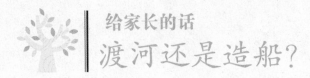

渡河还是造船？

好的学习方法，能让孩子们赢在起跑线上，更能让他们在未来少走弯路。

在联合国教科文组织的报告《学会生存》中，有这么一句话：未来社会的文盲，将不是没有掌握一定知识的人，而是那些不会学习的人。

应该说，根据现行的中小学教学大纲规定的学习内容，所有孩子一般都能顺利地完成学习任务。有的小学生学习任务完不成，成绩比较差，往往不是智力、态度和环境方面的原因，而是因为没有掌握科学、高效的学习方法。

如果将孩子的学习过程比作渡河，那么高效的学习方法就是船。如果没有有效的学习方法做支撑，孩子要想渡河，就必须凭借力气游泳过去，这样孩子便会枉费很多精力，在到达河的彼岸时，孩子往往已是筋疲力尽、苦不堪言了；或者会因为水深河阔而放弃渡河，从此失去了河对岸更好的发展机会。

事实上，对于小学阶段的孩子们来说，他们的主要任务并不是渡河，而是把未来渡河要用的船做好。也就是说，对于他们来说，掌握良好的学习方法比掌握具体的知识更重要。

那么，作为家长，你了解孩子的学习内容吗？你知道孩子是怎样学习的吗？他是怎样看书的？怎样记单词的？怎样安排学习时间的？他课前预习，课后复习吗？他的学习效率高吗？等等。孩子在心理和生理上都不够成熟，一定需要家长及时、有效地进行指导。如果你不重视学习方法的培养，孩子的学习成绩也就很难理想了。

目录

第三章 **在玩中学：丁丁爱上学习的秘诀**

第六卷 写作能力：优秀日记、作文十法

开学啦!

第一章

记忆方法：
丁丁要做记忆高手

丁丁问叔叔："我怎样才能变得更聪明呢？"叔叔笑着说："如果把智力比作一座工厂，那么记忆就是一座原料仓库。没有原料，工厂无法开工；记忆力差，智力也会受影响。"机灵鬼丁丁明白了，要想让自己更聪明，就一定要在记忆方面下足工夫。

记忆力和视力

你要是老看电视，视力就会越来越差！

没关系，我记忆力好！

记忆力能保护眼睛吗？

不是。我是说我把视力测试表都背下来了。

"吃甘蔗"记忆法

"金光，快告诉我今天老师布置什么作业了，嘿嘿。"放学后，丁丁嬉皮笑脸地问同桌。

"你问张莉去吧！每次老师布置作业的时候你总在说话，害得我也没有听清。"金光一边收拾书包，一边责怪丁丁。

金光真小气，丁丁心想。

"张莉，英语老师布置什么作业了啊？老师布置作业的时候我在修理铅笔盒了，嘿嘿。"丁丁不想让张莉笑话自己，只好编了一个小谎。

"这次老师布置的是背诵作业，把今天学的课文背下来，明天要点名抽查。"张莉不愧是学习委员，说得很详细。

"记忆可不是我的强项。再说，背诵这么多内容有什么用呢？考试也不一定会考。"丁丁心里嘀咕着。

可是，为了应付老师的检查，回家后丁丁还是把英语课文读了一遍又一遍。结果，他就是记不住。没有办法，丁丁只好拿起电话向自己的救星——当高中老师的叔叔取经。

"叔叔，老师为什么要让我们背这个记那个啊？而且我努力背了，可就是记不住。"丁丁把自己的困惑告诉了叔叔。

叔叔笑了笑，对丁丁说："如果英语单词记不住、语文生字不认识、数学公式不熟悉，你考试怎么能考好呢？另外，背诵课文不仅可以提升你的语感，还能提高口语能力，这真是一箭双雕呢！我教你一个好方法——'吃甘蔗'记忆法吧！"

丁丁听了觉得很新奇："吃甘蔗？是一边吃一边记吗？"

叔叔被丁丁的话逗乐了，他对丁丁说：

所谓的"吃甘蔗"法，就是：第一步，多读几遍课文，熟悉要背的内容；第二步，从每一段入手，读一段、背一段，在理解的基础上记住每一段，就像我们一节一节吃甘蔗一样；第三步，如果课文中的某一段落太长的话，我们还可以把这个段落分成一个一个的句子来背；最后，等每个句子、每个段落都记住之后，就可以把整篇文章连起来背诵了。你说这是不是"吃甘蔗"法？

丁丁用叔叔教的这个方法，果真顺利地背下了课文。第二天，张老师在检查同学们背诵情况的时候表扬了丁丁，夸他背得好，记得快。后来，丁丁越来越喜欢背诵和记忆了。

1 学一学

好方法1：抄写帮助背诵。"眼过千遍，不如手抄一遍"，同学们在背诵课文感觉疲惫了的时候，不妨试着停下来，用一支笔把课文抄写一两遍。这样做既用脑又动手，还可以加深你对文章的理解和印象。等抄完以后再去背课文，你会发现记忆起来就变得轻松多了。

好方法2：先理解后记忆。没有理解的记忆，只能是囫囵吞枣，无论用什么方法都不会有良好的效果。尤其是对于大段的材料，比如课文，我们一定要在理解的基础上进行背诵。

好方法3：控制每次记忆的量。根据科学家的研究，大家在记忆材料的时候，应该把记忆的量控制在一定的范围内，不能一味求多。

2 想一想

你知道吗？俄国大文豪列夫·托尔斯泰之所以博闻强记，并非他有什么特异功能，而是他坚持每天做"记忆力体操"的结果。他曾经说过，背诵是记忆力的体操。所以，他每天清晨起床后都要背诵一些必须记住的知识。实践证明，人的记忆力也和人的肌肉一样，只有锻炼才能增强。懒于记忆、从不背诵的人，记忆力不可能优秀。

3 练一练

上面的"想一想"这段文字一共有6句话128个字，试着用"吃甘蔗"法把它背下来，请爸爸妈妈帮自己记录一下时间。

1．10分钟以内
2．10-15分钟
3．15分钟以上

小·纸条不是用来作弊的

　　"丁零——"上课了，这节课是语文课。孙老师走进教室，对大家说："讲课前，我们先拿出十分钟的时间对上节课学过的词语进行默写。"

　　听完老师的话，丁丁急急忙忙翻开书，把要默写的词语都抄到了一张小纸条上。他想：这样就万无一失了，嘿嘿。

　　默写开始了，一个词语，两个词语，三个词语……听到不会的词语时，丁丁就先看一眼老师，然后再低头看看自己的小纸条。等默写到第十个词语"寂寞"的时候，丁丁再抬头看老师时，却发现孙老师就站在自己旁边。丁丁心想："这下完了！"果然，孙老师已经发现了丁丁藏在本子下面的小纸条，并一声不吭地把小纸条收走了，其他同学都没注意到。

　　下课后，孙老师让丁丁跟她去了办公室。丁丁红着脸低着

头，不敢抬头看老师，因为他可不希望同学们和整个办公室的老师都知道自己抄袭的事。

孙老师看见丁丁这个样子，略带严肃地说："丁丁，我给你讲一个关于小纸条的趣事吧。"

"嗯。"丁丁低着头小声答应着，因为他不知道孙老师的葫芦卖的什么药。

"美国有一位著名作家，叫杰克·伦敦。他为了提高记忆力，克服遗忘，就用醒目的红笔把那些容易忘记的知识点写在小纸条上，然后贴在自己经常看到的地方，例如卧室、门上、床头、写字台边。只要看到小纸条上的内容，他就留心记忆。慢慢地，他的记忆力越来越好，掌握的知识也越来越多。所以你看，小纸条可不是用来作弊的，你可以用它来整理记不住的词语，提高自己的记忆力！"孙老师说完，和蔼地看着丁丁，一句批评丁丁的话都没说。

离开办公室后，丁丁心想：孙老师真好，没让我在别人面前出丑，我一定要努力学习。后来，他按照孙老师说的"小纸条法"去记忆语文字词、英语单词和数学公式，效果还真的很不错。

1 学一学

好方法1：分目标记忆。以高分考入北京大学的吴雯雯同学对于记忆方法很有心得。每次记忆，她都会首先把需要记忆的目标在一张纸上列出来，然后记住一个目标就划掉一个，直到把所有列出的记忆目标划完为止。她说这样分目标记忆知识，不仅给自己减轻了压力，而且记得也非常牢固。

好方法2：小纸条安排学习。大家可以把今天要做的事情按顺序写在小纸条上，做完一件就用笔勾掉一件，比如今天安排了三项任务：1.写日记；2.读课文；3.做数学题，前两者做完了就要勾掉，第三项内容如果没有做完，就要把它划入第二天的任务中。这种好习惯让我们的学习变得更有计划，学习效率也能得到提高。

2 想一想

记忆要有整块时间。记忆是一项需要高度专注的脑力劳动，一些小知识点我们可以利用零散时间来记，但对于专项的记忆内容，如背诵课文、单元复习等，就一定要安排出整块的时间来进行记忆，比如自习课、晚上、休息日等。这样做有利于知识的集中记忆，使我们能攻克记忆难题。

3 练一练

手指模仿游戏。请爸爸妈妈通过手指的变化，连续做出5个不同的手势。在他们做动作的时候，自己不要跟着做。等他们做完了，自己再试着按顺序重复做出来。经常做这个简单的手指游戏，有利于提高你的专注力和记忆力。

1．能一次性全部模仿出5个手势，而且顺序正确

2．手势全部正确，但顺序不对

3．手势和顺序都不能完全正确

好玩的"过电影"记忆法

"哈哈哈——"丁丁一边看电视，一边大声笑着。

"宝贝儿，你笑什么呢，快来吃饭吧，饭都凉了。"妈妈笑着对丁丁说。

"妈妈，再给我10分钟，这部电影太逗了。"

妈妈瞧丁丁乐成这样，就凑过去看了看。原来丁丁正在看抗日战争喜剧片《举起手来》。

妈妈坐在丁丁旁边，她也被潘长江在电影中的表演乐坏了，跟着丁丁哈哈地大笑着。

很快，10分钟过去了，电影结束了。妈妈不失时机地考起丁丁来："宝贝，你能告诉妈妈影片讲了一个什么故事吗？"

"这个可难不倒我，电影讲了中国人民保护国宝、痛打日本鬼子的故事。"说着，丁丁还把妈妈没看到的部分一一讲了出来。

　　妈妈听了之后问丁丁："上课和看电影哪个好玩啊？"

　　"当然是看电影啦！"

　　"哈哈，那妈妈教你一个'过电影'的学习方法吧。"

　　"过电影？怎么个过法？"丁丁既好奇又疑惑地看着妈妈。

　　"每天晚上你做完作业以后，可以合上书本，闭上眼睛，把一天的上课内容回想一下，比如第一节是数学课，李老师是怎样板书的，提问时某某同学是怎么回答的，自己做题时哪些做错了，课堂上发生了哪些趣事，等等。把当时的情景一一在脑海里回放出来，这不就像是看了一次电影吗？"

　　"妈妈太有才了！"丁丁翘起拇指对妈妈说。

　　"呵呵，宝贝嘴真甜。你今天就试一试这个方法吧！"妈妈笑着鼓励丁丁说。

　　"好！做完作业我可以先玩一下，然后睡觉之前再'过电影'吗？"丁丁问。

　　"当然可以，那样效果可能更好呢！"妈妈点了点头。

1 学一学

这种帮助你记忆和复习的"过电影"法，其实就是一种复习，这种复习方法不仅可以帮助你巩固当天学到的知识，增强记忆，还能及时检查出听课效果，发现自己的薄弱环节。

另外，"过电影"法也非常好用，它可以随时随地进行，比如：上学坐公交车的时候、课余休息的时候，或者睡觉之前都可以。

2 想一想

大家在用"过电影"记忆法时，可能会出现思路中断、怎么也记不起来的情况，这时候你该怎么办呢？遇到这种情况，你可以试着通过一些轻松的画面让自己重新回到"电影"的轨道中，比如今天课堂上有某个同学因为打瞌睡而闹出了笑话等。如果这些画面还不能唤起自己的记忆，你还可以打开课本和笔记本，从中回忆起上课学到的内容。

3 玩一玩

巧记绕口令

六合县有个六十六岁的陆老头，盖了六十六间楼，买了六十六篓油，养了六十六头牛，栽了六十六株垂杨柳。六十六篓油，堆在六十六间楼；六十六头牛，拴在六十六株垂杨柳。忽然一阵狂风起，吹倒了六十六间楼，翻了六十六篓油，折断了六十六株垂杨柳，打死了六十六头牛，急煞了六合县的六十六岁的陆老头。

多读几遍这个绕口令，看自己能不能把绕口令的内容变成一个个电影画面，然后快速地把它记下来。

一线串珠巧记多音字

"妈妈，你说为什么有这么多的多音字呢？"丁丁咬着笔帽皱着眉头问妈妈。

"我们国家的历史很悠久，汉字经过长时间的演变和分化，有些字失去了它原来的意义，或者有了新的意义，因此就形成了现在的语音差别，"妈妈对丁丁解释说。

丁丁似懂非懂地点了点头。对妈妈说："多音字太难区分了，我总是把多音字搞混，你有什么好方法可以让我把多音字区分开来吗？"

"方法当然有了！你可以用一线串珠来记忆和区分多音字。"

"咦？一线串珠是怎么回事呢？"

妈妈怕丁丁不明白，于是特地从卧室取来了一根细绳和

几粒珠子，一边演示一边对丁丁说："宝贝，你看，语文中的句子就是这根线，多音字就是这些珠子，咱们以多音字'单'为例，可以用这个句子把它的读音都串起来：单（dān）位里的单（shàn）爷爷经常给我们讲单（chán）于的故事。再比如'看'字：看（kān）门的大爷也很喜欢看（kàn）小说。"

"原来是这样啊！我也用多音字'差'组一个句子吧：爸爸每次出差（chāi）差（chà）不多都要出点差（chā）错。"丁丁一边说，一边故意冲着看报纸的爸爸做鬼脸。

妈妈一看乐坏了："哈哈，宝贝儿真聪明！"

"我学会这个记多音字的方法了，明天我要告诉同学们！"丁丁骄傲地对妈妈说。

1 学一学

　　好方法1：特殊读音记忆法。有些多音字，只有一个读音是常用的，其他的都不常用，我们只要记住常用读音，剩下的就比较容易辨别了。比如"难"字有两种读音，常见读音是"nán"（如：难关、难免、为难）；当它的意思为"不幸的遭遇"时就读为"nàn"（如：遇难、灾难）。

　　好方法2：根据词义判断读音。有的多音字所在的词语的意义不同，读音就不同。比如：当"散"字的意义是"没有约束，不规则"时读"sǎn"（如：零散、松散）；意义是"由集中而分开"时读"sàn"（如：解散、烟消云散）。

　　好方法3：根据词性判断读音。有的字可以根据词性的不同来区别读音。比如："盛"字做动词时读"chéng"（如：盛饭）；做形容词时读"shèng"（如：茂盛）。

2 想一想

　　"一线串珠"的方法除了能用来帮助我们记忆多音字以外，还有很多妙用呢！我们可以把要记忆的材料编成有趣的一句话或者小短文，促进自己记忆。比如在记忆"省份、简称、省会"的"山东——鲁——济南"时，就可以串成一句话来记"山洞（东）里满满都是鹿（鲁），我都被挤（济）到最南边了。"大家看，这是不是很有趣呢？

3 练一练

　　用"一线串珠"法记忆下面的材料：

　　1. 广西——桂——南宁

　　2. 湖北——鄂——武汉

　　3. taxi, bookshop, electrical shop, shopping mall, something, invite, visit

第一个字的妙用

　　语文课进行到一半的时候，有一部分同学开始注意力不集中了，为了让大家的心思重新回到课堂，孙老师停下讲课，对大家说："现在我们来进行一次古诗比赛吧。我把一首古诗读三遍，看看谁能马上背诵下来，同学们说好吗？"

　　"好啊，好啊！"同学们大声地回答着，马上来了兴趣，个个竖起了耳朵，用眼睛紧紧地盯着孙老师的嘴。大家都想第一个把古诗背诵下来。

　　孙老师开始读了，她读的是柳宗元的《江雪》："千山鸟飞绝，万径人踪灭。孤舟蓑笠翁，独钓寒江雪。"丁丁一边听老师读，一边紧张地用脑袋记着。

　　可是还没有等他完全记下来的时候，孙老师已经吟诵完三遍了。

也正是在这个时候，丁丁看见班长王晓旭第一个举起了手。孙老师笑着说："王晓旭同学，你来试试吧！"

"千山……"

"哇！这么快就记住了，班长真是太厉害了！"丁丁心想。

下课后，丁丁跑到王晓旭的座位旁，问王晓旭："我每次背古诗，背了前两句就总想不起第三句来。你是怎么记住的呢？"

"我有一个好方法：背古诗时，你可以试着把每一句诗的第一个字用笔在纸上列出来，这样背诵时就不容易忘记了！你看，上课时老师读的那首诗，第一个字列出来不就是'千万孤独'吗？"王晓旭眨了眨眼对丁丁说。

"千万孤独？真有意思。王晓旭你太牛了！这个方法是你自己想出来的吗？"

"嗯，不仅仅是背古诗，记忆其他知识也都可以利用这个方法呢！这可是经过我亲身实践的噢！"

1 学一学

好方法：首字记忆法用处大。这种方法通过紧扣关键字眼，把知识进行浓缩，便于记忆。比如，太阳系中八大行星自中心向外依次排列的顺序非常重要，用首字记忆法就可以把它的内容和顺序简化为"水金地火木土天海"。这样做使记忆量大减，而且可以一口气念完，轻轻松松便能记住，等记好了，再在首字后面加上"星""球"等名词就记完整了。

2 想一想

如果你能把首字编成有趣的语句进行记忆，这样效果就会更好。比如：Father and mother I love you（爸爸妈妈我爱你们）这个句子的首字母拼在一起，是不是正好组成单词family（家庭）呢？大家看，这个方法既有趣又能让你记得牢，你也赶紧试试吧！

3 练一练

1. 用首字记忆法记"四书五经"。

四书：《孟子》《论语》《大学》《中庸》

五经：《诗》《礼》《春秋》《易》《书》

2. 用首字记忆法记我国的五岳。

北岳恒山、西岳华山、中岳嵩山、东岳泰山、南岳衡山

理解了才记得牢

"明明，我们一起去打羽毛球吧！"放学后丁丁对班里的尖子生李明明说。

"嗯，好的，我抄写完这个数学概念就去！"李明明一边低着头写一边对丁丁说。

"抄写数学概念？老师没布置这样的作业啊！"丁丁吃惊地问李明明。

"呵呵，上次我在做一道数学题的时候，在最后的检查中发现每一个步骤都没有错误，可是最后的答案就是不对。后来我把作业拿给爸爸看，爸爸帮我检查出了错误，原来是我在概念的理解上出现了偏差。所以我觉得数学概念还是很重要的。"

"是这么回事啊！把数学概念背下来不就可以了吗，干嘛

还要抄写呢？"
丁丁疑惑地问李
明明。

李明明说：
"爸爸告诉我，
数学概念光靠背
是不能彻底理解
的，要想深入理
解数学概念，还
要做到两点：

"首先要抄写概念。通过抄写，可以强化自己对概念的记忆，不自觉地便可加深对概念的认识。

"其次要在做题中记忆。做题可以检验自己对概念的理解水平，同时也是一个对概念和公式不断加深记忆的过程。做题的目的不只是为了完成任务，而是要通过做题彻底掌握概念，所以，我们在做完题以后一定要认真总结，对于那些自己不会的概念，一定要找出来，想方设法把它们弄懂。"

"我做数学题的时候，也经常会莫名其妙地出错，听你一说，原来是我没有充分理解概念，对概念掌握得不够牢固的原因呀！明明，我感觉你说的很有道理。"

"嘿嘿，都是我爸爸的功劳！"李明明很谦虚地说。

1 学一学

好方法：概念笔记本。大家如果觉得公式、原理、概念等抽象知识是自己的学习弱项，那就可以试着把自己掌握得不够好的概念全部总结在一个本子上，并且把平时做题时涉及到概念的题目都抄写在相应的概念下面，以此来加深理解。例如：循环小数可分为有限循环小数如"1.123123123"（不可添加省略号）和无限循环小数如"1.123123123……"（有省略号）。前者是有限小数，后者是无限小数。

2 想一想

对于知识性的材料，一般来说我们读得越多，记忆就越深。但是，对于抽象概念，我们是不是也应该多读呢？心理学的研究发现，抽象概念应该少读多忆，在读完一两遍以后就要及时地尝试回忆，这比读完多遍以后再尝试回忆的效果要更好。比如，在学习完一个公式之后，你就可以马上合上书本，尝试着把刚才记忆的公式在纸上写出来。这样反复几次，公式就能牢牢记在心里了。

3 玩一玩

我来带路！每次跟爸爸妈妈或者同学去陌生的地方游玩的时候，提醒自己留意行走的路线、方向，仔细观察沿途及拐角处有什么特点或标识性的建筑，记住自己乘坐的是哪一路汽车，等等。回来的时候，你试着给大家带路，看看自己能否顺利地把大家带回家。通过做这样有趣的生活小游戏，你的观察能力和记忆力也会慢慢得到很大的提高。

让学习的雪球越滚越大

"爸爸，为什么我学了后面的知识就会忘记前面的知识呢？"丁丁不解地问爸爸。

"那是你不善于复习的缘故。"爸爸一针见血地给丁丁指出了错误。

"可是，期末考试还早呢，到时候再复习也不迟啊。"

"那儿子你就错了，刚学过的知识如果你不及时巩固，很快就会忘记了。科学家说了，遗忘也是有规律的：学习一结束，遗忘就已经开始了；遗忘速度的规律是先快后慢；而且那些不经常用到的知识会很快被遗忘。所以，老师平时布置作业，就是为了让我们在学完以后抓紧时间巩固啊！"

"原来是这么一回事啊！那么，爸爸你有什么灵丹妙药可以治疗遗忘这种病吗？"丁丁开玩笑地问爸爸。

"哈哈，常吃核桃可以健脑，不过，光吃营养品可避免不了遗忘。要想把知识记得牢，我们就要用方法，比如滚雪球记忆法。"

"滚雪球？怎么滚呢？"丁丁是个好学的孩子，每次听到有趣的学习方法，他都非常高兴。

"滚雪球记忆其实很简单。咱们就以学习英语单词为例吧，比如我们每天要学习10个新单词。根据遗忘规律，如果你不及时复习，第一天记住的10个单词，到了第二天就只能记住3-4个了。所以，第二天在学习新单词时，你应该把第一天的单词再记忆一遍；第三天则应该把前两天的单词再记忆一遍，以此类推。这样的话，雪球就会越滚越大，你既掌握了新的单词，学过的单词也不会忘记。相反，如果你不及时滚动的话，雪球还来不及变大就全部融化了，前面的努力也都白费了。"

"原来是这样啊！我明白了。"

"其他科目的学习也是这样，经过不断地滚动记忆和复习，你就能把老师讲的知识点全部掌握了！"

"爸爸太棒了！快告诉我你是怎样知道这个记忆方法的。"丁丁眨巴着眼睛问爸爸。

"哈哈，上周我们公司刚请了记忆专家进行培训，爸爸专门把这种方法记下来，回家告诉宝贝儿的！"爸爸笑着回答。

1 学一学

好方法1："滚雪球"法背课文。这种方法不仅可以用来复习，用在课文或段落的背诵上也很有效果。比如我们要背诵一段话，可以先读第一句，背诵第一句；然后将第一二句连读，要求第一二句连背；接着读一二三句，背一二三句……以此类推，滚动前进，累积背完全文为止。

好方法2：用笔记忆。复习记忆的时候，可以一边复习，一边将自己回忆出来的知识和自己的复习成果、心得写在笔记本上。勤动脑与勤动手结合起来，才能获得最好的记忆效果。

2 想一想

很多同学在下课或者放学回家后，就急着把作业一口气做完。你是不是也是这样做的呢？北京大学的徐俊明同学在谈到学习方法时说，在老师讲完课后，他从来不着急做作业，而是再一次认真地阅读教材，或者参阅一些参考教材，先把老师讲解的知识再熟悉一遍，再把自己在课堂中还有疑问的一些问题尽可能解决，然后才开始做作业。这样做可以更好地巩固所学的新知识，而且能比较准确、独立地完成作业。

3 练一练

速记圆周率。你能用3分钟的时间，将圆周率小数点后面的20位记住吗？试着用"滚雪球"的方法记一下吧！先记"3.1415"，然后记"3.14159265"，每次多记4位数，依次向后记忆。加油！

3.14159265358979323846

有趣的谐音记忆法

最近，丁丁班上要举办一个叫"我是记忆大王"的活动，内容包括记忆英语单词、古诗词、成语等。丁丁很想在这个比赛中好好表现表现，所以他每天都在积极地做着准备。

"play，play… hair，hair…"丁丁大声地读着单词，可是过了十几分钟，丁丁也没能记住几个单词。他皱着眉头，托着腮。这时候，英语课张老师走进了教室，她看见丁丁愁眉苦脸的模样，笑着问丁丁是不是遇到什么难题了。丁丁苦恼地对张老师说："老师，单词我总是记得很慢。我对记忆单词都没有信心了。"

"原来是这么回事啊！丁丁，老师教你一个有趣的方法，保证你能找回记单词的信心！"张老师和蔼地对丁丁说。

"是吗？老师快告诉我！"

"你可以根据单词的谐音来记忆。"

"单词的谐音？"丁丁不解地望着老师。

"对，你看，play的谐音是'不累'，你'玩'的时候肯定感觉不到累吧？呵呵。hair的谐音是'黑啊'，'头发'真黑啊；think的谐音是'深刻'，'思考'的时候当然要深刻了。还有，wash的谐音是'我洗'，我洗衣服就是'洗涤'……你看，这样记英语单词就有趣多了！"

"老师，我把我最喜欢吃的fish记成'费事'，因为妈妈每次做'鱼'的时候都很费事。"丁丁指着"fish"这个单词对张老师说。

"哈哈，丁丁真是个聪明的孩子。"张老师夸奖丁丁说。

① 学一学

好方法1：**分类记单词**。以高分考入清华大学的王鑫在谈到单词记忆经验的时候说，他会先把单词进行分类再记忆。比如：把 deer（鹿）、elephant（象）、tiger（虎）归结到动物那一类去记忆；把 father（父亲）、mother（母亲）、daughter（女儿）等放到家庭成员那一组记。通过分类可以让记忆内容更清晰。

好方法2：**平时多积累**。同学们可以把学习英语单词看做是随时随地的事。比如，走在街头时，多注意一些英文招牌，留意其中不懂的词，记下来，回去弄清楚意思，坚持下来，就可以积累不少词汇。

② 读一读

有趣的数字谐音。惠姣今年9岁，她的舅舅经常醉酒闹事，小惠姣很聪明，她用数字给他的舅舅写了一封信。信的内容是："99：8179，7954，7918934。1。91817。" 你能读懂惠姣的这封信吗？原来，她写的意思是："舅舅：不要吃酒，吃酒误事，吃酒要被酒杀死。一点酒也不要吃。"

③ 练一练

用谐音法记忆下面的内容：

1. 3.141592653589793238 4626
2. 荷马史诗共29693行
3. die（死，死亡）、hang（悬挂，吊着）、pin（别针，针饰）、song（歌曲，歌声）

25

编写提纲记名著

　　丁丁经常向同学们吹嘘自己博览群书。一天放学后，丁丁和李明明约好一起回家。半路上丁丁又开始对李明明说起他看过的名著，比如《水浒传》《西游记》《格林童话》……

　　李明明听了后笑着对丁丁说："丁丁，你给我讲讲《水浒传》中的故事吧。"

　　"那是我以前看过的，现在，这个，这个……我还真是忘记了。"丁丁挠着头，不好意思地说。

　　回家后，丁丁就疑惑地问爸爸："爸爸，怎样才可以把看过的课外书都印在脑子里不忘呢？"

　　"要想记住课外书，那可一定要花时间多读几遍啊。不过，这其中一定会有好方法的。咱们上网查查，看看大家都是怎么读名著的吧！"

"好！"丁丁和爸爸开始在网上搜索读名著的方法。

"你看，这个网友是用提纲法读《水浒传》的，看样子效果还不错呢！"爸爸一边说着，一边把网页打开给丁丁看。

《水浒传》全书讲的是宋代农民起义、发展和失败的全过程，揭露了封建社会的黑暗和腐朽，以及统治阶级的罪恶。

1. 一至七十一回，写农民英雄被逼上梁山的过程；

2. 七十二至八十二回，写梁山英雄攻城略地、与官军正面作战直至全部受"招安"；

3. 八十三至九十回，写宋江等奉命征辽，在边疆上为朝廷建功立业；

4. 九十一至一百回，写宋江等征田虎；

5. 一百零一至一百一十回，写宋江等征王庆；

6. 一百一十一至一百二十回，写宋江征方腊至最后失败。

"哈哈，这样看起来真清晰，记起来也很快了。"

"要想把整本小说都记住，你还可以学习这种形式，把每一回的内容和情节都列出来。比如，在第一点后面依次列出一至七十一回的提纲，这样就可以帮助自己更好地理解和记忆故事情节了！"爸爸补充说。

"嗯！下次明明再问我名著的故事，我一定能讲给他听。"

好方法1：提纲复习法。提纲法不仅可以用来读名著，还可以用在我们的复习中。简单的做法是：翻开课本，根据目录上的章节名称，一步一步地回忆每一章节所学的知识点。如果哪个章节的内容回忆不起来，或者印象很模糊，那么这部分知识就需要进行重点复习。

好方法2：建立写作素材本。平时多看课外书，可以丰富自己的词汇量、积累写作素材。大家可以准备一个专门的素材本，把读书时遇到的一些好词好句，抄在素材本上，随时拿出来翻阅记忆。

好方法3：写一写读书笔记。明末著名学者顾炎武，为了记住书本的内容，他会限定自己每天读完后把所读的书抄写一遍；再次，要求自己每读一本书都要做笔记，写下心得体会。要想提高我们的阅读能力和记忆力，这种方法非常值得借鉴。

很多同学一读完课外书马上就忘了，就好像没读过一样。那么，怎样才能把课外书读透呢？大家可以试试这种方法：读书时，文中的好句用线画出，好词用圈圈出，不理解的地方用"？"标出，并写出自己的疑惑是什么。等读完以后，再针对疑难问题，通过查字典、问老师、和同学讨论等方法解决。长此以往，你就能养成边读边想的好习惯，读书效果也会得到提高。

试着用提纲法，给中国四大名著之一的《西游记》（或者其他你喜欢的名著）列一个提纲。要求用自己的语言把故事情节写清楚。

"记忆大王"比赛总结

丁丁在"我是记忆大王"的活动中表现出色，得了全班第四名。虽然不是第一，但他还是很高兴自己学到了那么多的记忆方法。周五下午又是讨论课，讨论的主题就是记忆方法。孙老师扮演主持人，她像采访明星一样地把班长王晓旭请上讲台，对大家说："有请本年度记忆冠军王晓旭同学，为我们介绍一下他的最佳记忆方法。"

王晓旭面带微笑，清了清嗓子对大家说："我会对不同的学科进行交替记忆。在做数学题累了的时候，我就学学语文，或者背背英语单词，这样可以使大脑左右半球轮流得到休息，有利于提高学习效率。"

王晓旭说完后，讲台下响起了热烈的掌声。

"王晓旭同学回答得很好，接下来有请亚军张莉同学谈谈

她的心得。"

"我在记忆的时候，一般会将新旧知识联系起来进行记忆。学习新知识的时候可以依靠旧知识来帮助自己记忆，因为知识与知识之间是具有相互联系性的。"

"张莉同学的方法也值得我们学习。接下来我们有请季军刘浏和最佳表现奖得主丁丁上台谈一下他们的记忆小窍门。"

丁丁没想到老师会邀请自己，心里既激动又紧张。他一边认真地听刘浏发言，一边悄悄琢磨自己应该说些什么。

终于轮到丁丁了。"吃甘蔗法""过电影法""一线串珠法"……丁丁恨不得把自己学到的记忆方法全部说出来，同学们都为丁丁鼓起了掌。最后，丁丁还不忘补充一句："另外，我还会经常吃一些核桃，保证睡觉睡得美美的，这样我记起知识来就更有劲了。"这个不是方法的方法，也得到了孙老师的肯定。

这节讨论课举办得很成功，大家也都在愉快的氛围中学到了不少知识。

1 学一学

好方法1：改变记忆顺序。科学家研究发现，在一组材料中，开头和结尾的记忆效果最好。所以我们可以改变记忆的顺序，比如记忆10个单词，第一次记忆可以从第1个单词开始，第二次记忆时则可以从第2个单词开始。如此反复，比按照一种顺序重复记忆的效果好很多。

好方法2：学科交替记忆。大家在面对多门学科的学习内容时，尽量使前后相邻的学习内容不同，以减少记忆材料之间的相互影响。比如，刚学完历史，最好不要去学语文，可以做做数学题。

2 想一想

课堂是大家记忆知识的最佳时间。但有些同学上课认真听讲了，下课后却发现自己什么都没记住，这该怎么办呢？大家可以尝试一下自问自答的方法，问自己："假如我是老师，我希望学生在这节课里掌握哪些知识呢？"如果经常对自己这么提问，并从多角度进行回答，就能使自己明确课堂的学习目的，增强记忆力。

3 练一练

形象记忆游戏。比如要记忆汉字"灭"，我们可以这么想象：把一个纸团点燃后放进杯子里，然后在杯子上盖一块铁板，火马上就灭了。即"火"上加一块板就"灭"。请根据这个方法记忆下面的字：

灰 闪 吠 仙

"练一练"参考答案

001. "吃甘蔗"记忆法

参考评估：

1．如果你能在10分钟之内记住，你的记忆力相对比较优良；

2．如果用了15分钟，说明你达到了基本的记忆水平；

3．如果需要更长时间，你就应该特别注意锻炼自己的记忆能力了。

002. 小纸条不是用来作弊的

参考评估：

1．你的专注力和记忆力相对比较优良；

2．片段记忆优良，但整体记忆还不够好；

3．专注力和记忆力都不够好，今后注意多加锻炼。

004. 一线串珠巧记多音字

1．光（广）腔洗（西）澡的乌龟（桂），它的乌龟壳没了，被男（南）人拧（宁）了一把。

2．谐音：虎背、鳄鱼、捂汗。解释：虎背上趴了一只鳄鱼，捂了一身汗。

3．坐上出租车（taxi），去了书店（bookshop）、家电商场（electrical shop）、大型购物中心（shopping mall），买了一些东西（something），受到了同学的邀请（invite），还看望（visit）了李老师。

005. 第一个字的妙用

1．可记作：　四叔（书）猛（《孟子）抡（《论语》）大（《大学》）钟（《中庸》），武警（五经）诗（《诗》）里（《礼》）存（《春秋》）遗（《易》）书（《书》）。

2．可记作：　东西南北中，泰华衡恒嵩。

008. 有趣的谐音记忆法

可记为：

1．山顶一寺一壶酒，尔乐苦煞吾，把酒吃，酒杀尔，杀不死，乐尔乐。

2．荷马史诗太长了，要想一行行数出它的长度，就要准备好粮（2）食、带好酒肉（96），并且不能有沮丧（93）的心情，要有足够的耐心才行。即29693。

3．谍(die)报工作危险，多是九死一生——die（死，死亡）

吊着嗓子，引吭(hang)　高歌——hang（悬挂，吊着）

针饰是精品(pin)——pin（别针，针饰）

送(song)你一首歌——song（歌曲，歌声）

010. "记忆大王"比赛总结

灰："火"字上面的两笔，就像二根交叉在一起的木棍，木棍被火烧了，就变成了灰。

闪：门口有一个人影一闪而过。

吠：一只大狗受到惊吓，张口大叫起来。

仙：古代人觉得仙人都住在高山上。

提高效率：
怎样让学习更轻松

丁丁总是抱怨学习很累，作业做不完。后来妈妈给他支招了："面对繁重的学习任务，你应该学会科学安排、合理利用以及巧妙节省时间，向每一分钟要成绩，这样才能提高学习效率，让学习变得轻松有趣。"

光头的一休

丁丁和爸爸正在看电视

你说说一休为什么这么聪明？

因为他没有头发呀！

头发与智慧有什么关系呢？

不是有一句话叫'头发长，见识短'吗？！

三随法安排时间

这次的数学单元测验成绩下来了，丁丁考了88分，班里的"调皮大王"吴刚却考了92分！丁丁十分困惑，为什么吴刚平时看起来总是打打闹闹，学习成绩却一直很不错？

"难道老师给吴刚课外辅导了？"丁丁心想。

下课后，丁丁找到了吴刚，问他是不是有什么灵丹妙药，可以不用刻苦学习就能提高成绩。吴刚听了丁丁的话，笑着说："你别看我不怎么用功，但是我会抓学习效率啊！这样做就可以学习、玩乐两不误了。"

"那真是太好了！你快告诉我怎么抓学习效率吧！"丁丁听说可以既不耽误学习，又能好好玩，连忙向吴刚取经。

"提高学习效率的关键，就是要合理安排学习时间。"

丁丁挠了挠头说："咱们的学习内容那么多，我经常做了这个忘了那个，到底怎么安排呢？"

"我从我哥哥那里学来了一个好方法，叫'三随法'。哥哥告诉我，安排时间的时候，只要遵循三个原则就一定没问题。"吴刚很大方地把具体原则告诉了丁丁：

1. 随课程表安排学习时间。我们可以根据一周的课程表，来安排自己预习、上课、复习、图书馆学习等活动，使学习有序地进行。

2. 随作息安排学习时间。将自己一天的学习、娱乐、休息和睡眠以时间表的形式科学地安排出来，严格执行，养成科学运用时间、科学运筹时间的习惯。

3. 随学校制度安排学习时间。安排时间的时候，一定要考虑到学校制度的规定、要求，不能和学校制度有矛盾。

"就这么简单吗？"

"别看我说得简单，实际上真正做到还是需要你不断坚持的！如果把玩与学的时间都规划好了，你还害怕玩的时间不够，学习成绩上不去吗？"吴刚很自信地对丁丁说。

丁丁高兴地点了点头，因为他觉得吴刚说的很有道理！

每天三分钟，掌握好方法

1 学一学

好方法：制定玩的计划。 除了可以制定学习计划外，你还可以制定"玩计划"。比如：每天玩多长时间、周末玩多久、临考前的休息时间安排等。玩得有计划了，就不会担心自己在学习的时候总惦记着玩了。

2 想一想

是不是把一天的计划表安排得越满，对时间的利用效率就越高呢？当然不是。考入北京大学的刘晓芳同学在谈到时间安排时说："用各种活动把一天的时间表'塞'得满满的，会给自己很多压力，在时间表上应该留出一部分时间供自己休息和思考，想一想一天学习中的收获，以及还有哪些需要改进的问题等，这样就可以紧张又不失轻松地完成一天的工作，从容面对明天的挑战了。"

3 练一练

大家在学习计划的空闲时段，不妨玩一玩简单的语文游戏，既可以学习知识，还能提高你的发散思维能力，做到学习休息两不误。

1. 卵的"丶"代表（　　　）
2. 鸟的"丶"代表（　　　）
3. 雨的"丶"代表（　　　）
4. 旦的"一"代表（　　　）
5. 刃的"丿"代表（　　　）

二八法则巧做作业

"爸爸，今天老师布置的作业可真多，有些题目容易做，有的却很难，我真的做不完了！"丁丁一边做作业，一边向爸爸抱怨。

爸爸听到丁丁的抱怨，走到书桌面前，拿起丁丁的作业本看了看，也点了点头说："嗯，作业量的确不小！"

"是吧？我该怎么办啊？"丁丁一看爸爸也同情自己，就越加感到委屈了。

"没关系，儿子，爸爸有办法！你可以把难做的和容易做的作业分开，然后用80％的时间做难题，剩下20％的时间做相对容易的题目。"

"为什么要这么做呢？"丁丁不解地问爸爸。

"那些相对简单的题目，我们只需要拿出少量时间进行巩

固；而那些难题，可能就是你学习的重点，或者就是你没有掌握牢固的内容，所以需要多花时间仔细地思考。"

"嗯，但是为什么要分成20％和80％呢？"

"这就是二八法则呀。二八法则是意大利经济学家巴莱多发现的。他认为，在任何一组东西中，最重要的只占其中一小部分，约20％，其余80％尽管是多数，却是次要的。这是我们社会中存在的一个普遍规律，比如在我公司里，20％的人是骨干，80％都是普通员工。

"把这种规律运用到学习上也是一样。一般来说，学习的重点和难点只占全部学习内容的20％，所以我们要把学习时间主要集中在这些重点上面；而其他内容虽然占了80％，我们只需少花一些时间就能掌握。这样做才能实现时间与效率的统一，大大提高你学习的效率！"爸爸很耐心地解释给丁丁听。

"我知道了，原来是这样啊！哈哈，爸爸你真厉害。"

"谁叫爸爸是做企业管理的呢！"爸爸自豪地对丁丁说。

每天三分钟，掌握好方法

1 学一学

　　好方法1：2小时攻克弱科。建议那些偏科的同学不妨在周末专门拿出2个小时去攻克自己的弱科，弱科成绩提上去了，考个好分数也就没有问题了。

　　好方法2：由简单做起。面对自己困难科目的作业，不妨从最简单的题目做起，这种先易后难的做作业方式可以消除自己心理上的反感。

2 想一想

　　在做一件事情时，我们该如何利用二八法则呢？高考状元李然在谈到他的学习经验时说，他很注意学习时间的合理分配，比如他会首先解决那些自己认为很重要很紧急而且是非做不可的功课，然后再做其他不太重要的作业。这样可以大大地提高自己做事的效率。

3 练一练

　　假如今天是周末，你有下面三项任务，你会先做哪一项呢？借鉴"想一想"中的方法，将这些任务合理安排好顺序。

　　1．周一就要上交的数学作业

　　2．去书店看书

　　3．准备周二演讲的演讲稿

做作业也要有计划

"丁零——"客厅的电话响了，丁丁拿起电话，是叔叔的声音："丁丁在家吗？"

"我在家呢，叔叔。"丁丁连忙答应着，因为每次叔叔找自己，一定是有什么好事。

"周末咱们一起去爬山吧！"叔叔热情地邀请丁丁。

"好啊好啊！可是，老师这个周末可能会布置很多作业，我害怕完不成。"丁丁把自己的担心告诉了叔叔。

"这个嘛，不用害怕。我教你一个方法，那就是做一个作业计划。如果你的计划很科学、合理，就不会出现做不完作业的情况了，说不准，你还能提前完成呢！"

"有这么好的方法？叔叔你快说，我该怎么做计划呢？"

"好的，你仔细听。"

首先，你可以按照作业的轻重缓急，或者根据每一科目所需要的时间长短来安排好作业顺序。比如，数学老师布置的作业比较多，那就先做数学作业，搬掉数学这个大石头，后面的作业做起来心里就会轻松多了。

其次，你可以按照目标来制定计划，比如：你可以把作业分成三个部分，周六上午完成第一部分，下午完成第二部分，周日下午再完成第三部分，这样你周日上午就有时间做其他事情了。

再次，你还可以给自己制定一些奖励计划，比如在便纸条上写上"完成作业后我就可以去爬山啦！"把纸条贴在墙上，这样就可以激励自己抓紧时间做作业。

"嗯！我现在就做一个计划，保证按时完成作业！叔叔，星期天上午咱们一起去吧，不见不散！"丁丁很有自信地对叔叔说。

好方法：安排机动时间。在执行计划的过程中，会不可避免地遇到一些新情况。比如班里临时安排了集体活动，跟自己做作业的计划冲突了，这时候就会影响自己的计划。如果提前在计划中安排了机动时间，就不怕有临时活动了。

如果一个计划需要很长时间才能完成，这时我们该怎么办呢？中考状元陈文艺同学给大家提供了他自己的看法："如果计划需要太长时间的话，我们可以把这样的计划分成几个小计划来完成，比如如果目标是复习完整本书的单词，我们可以每天完成10个单词的记忆量，这样积少成多，大计划很快就可以完成。"

假如你要看一本768页的《水浒传》，借鉴"想一想"中的方法，根据下面的表格形式制定一个读书计划。

我要完成的任务	我的小计划	完成情况
读完《水浒传》	周一：读10页	已完成。
	周二：读10页	已完成。学会5个新字。
	……	
	周六：读完第一回合	已完成。写了一篇读书笔记。

也学也玩效率高

一天上午课间的时候，张老师走进教室准备上课，她发现教室里出奇地安静，大部分同学都坐在座位上埋头看书。张老师一问，原来下午要进行一次语文测验，所以同学们都想抓紧上午的课间时间，争取考个好成绩。

看见同学们都这么用功，张老师觉得很欣慰。可是她也有一点担心，于是她在桌面上叩了叩黑板擦，对同学们说："大家不要总是坐着看书，课间应该出去活动活动。"

"老师，下午要进行语文当堂测验，我们应该抓住每分每秒积极复习才对啊！"班里的学习积极分子代建说。

"可是，如果长时间地进行学习，学习效率一定不会高，而且学起来也会感觉很疲惫！"张老师很诚恳地劝大家。

"不是有一句话，叫'脑子越用越好使'吗？"王丽疑惑

地望着张老师说。

张老师听到这句话，笑了笑，说："这句话本来没有错。你们在语文课上是不是学过一个词语叫'过犹不及'？其实，大脑使用过度就会适得其反，这样不仅起不到锻炼脑子的作用，而且会使学习效率降低。这就好比我们进行体育锻炼，每天适当地活动活动，有益于身体健康；但是如果强度太大了，就会对身体造成伤害。"

同学们若有所思地点了点头。

张老师接着说："在学习中，大家的注意力一般保持在40分钟左右，超过这个限度，学习效率就会随之降低。所以大家最好在课后休息一会儿，这是保持精力旺盛的最好方法。呵呵，大家还不出去玩玩？"

听见张老师这么说，丁丁也随着大家欢快地跑出了教室。

好方法1：和同学讨论。 如果课后你并不疲惫，不妨利用课间的时间，把你在课上有疑问的问题拿出来，与其他同学一起讨论一下。这样做不仅可以巩固自己的学习效果，还可以让大家在讨论中得到放松。

好方法2：讲一下笑话。 由于上课氛围一般比较严肃，所以大家下课后可以轮流讲讲笑话，活跃一下氛围，让自己的大脑得到充分的休息。

朝阳小学的李文健老师在谈到学生课间的利用情况时，建议大家："同学们要在课间充分休息和调整，但是也不能过度兴奋，比如进行大运动量的活动。如果课间过于兴奋，等到上新课的时候，就很难快速进入学习状态，影响课堂学习。"

课间大家可以玩一玩"成语之最"这类简单有趣的小游戏，它能让大家在思考中得到放松。请根据以下提示填入相关成语。

1. 最长的腿　（　　）
2. 最大的差别（　　）
3. 最大的变化（　　）
4. 最短的季节（　　）
5. 最大的被子（　　）
6. 最长的一天（　　）

提高举一反三的做题能力

晚上做完作业后，丁丁打开电脑登录了QQ。他见群里同学们聊天聊得正火。聊什么呢？丁丁点开聊天记录，原来代建问了大家一个问题，他说他总是做很多题目，但是数学成绩却就是不见提高。

"代建说到我心坎里去了，我也存在着这种问题，我还是看看同学们怎么回答的吧！"

于是，丁丁也加入到讨论的队伍。他看见李老师也在群里，给大家出了一招，叫"学会举一反三，提高做题效率"。

丁丁马上接话："我知道举一反三！意思是从一件事情类推而知道相似的许多事情。怎样才能学会举一反三呢？"

于是，围绕如何提高举一反三的能力，李老师给大家总结了三点：

1. 学会总结同类型题目。平时做题的时候，在攻克完一道难题以后，千万不要觉得自己会做了，就把这类题扔在一边。这时，你应该花一些时间，从课本和练习资料里找出同一类型的题目，把这些题抄录在一起，然后从它们中间总结出相同的解题方法。

2. 重点题要多动脑筋。对于老师强调的重点题，或者课本上的例题，我们不能仅仅满足于做对答案，还应该要求自己使用其他方法来解答这一道题目。如果每次你都能找出1-2种其他方法，你的解题能力就很强了。

3. 自己给自己出题。做完一道重点题或难题后，试着把题目的答案变为已知条件，把原来的一个已知条件改为你要求的结果，变成一道新题，过一阵再做这道题，看看自己是否还能做对。

听完了李老师的话，同学们纷纷表达了自己的意见。

"原来是这样！我说我怎么同一题型，有的会做，有的就做错呢。"

"用其他方法来做课本上的例题，我可从来没想过呢。"

"学会了这些方法，以后就可以节省出很多时间了！"

"嗯，最好的办法就是，老师以后少布置点儿题目。"丁丁也回复了一条。

李老师给丁丁发了一个敲打的表情，同学们都在群里笑了。

每天三分钟，掌握好方法

1 学一学

好方法：换一种说法。 对于题目中某一个条件或问题，我们可以换成与内容同等的另一种表达形式，比如举一个简单的例子："A比B少6个苹果"，那么在头脑中你可以问自己：B比A多几个苹果？这样可以加深对题目的理解，丰富解题方法。

2 想一想

谈到解题能力，考入北京大学的陈倩倩同学对大家说："做到举一反三的关键是通过一道题目的解法弄清一类题目的解法。例如，听老师讲习题或者向老师、同学请教时，要特别关注老师、同学的解题思路。他们遇到题目时是怎么想的，为什么这么想。总之，不管是听课还是跟同学们交流，重点是要学习他们思考问题解决问题的方法，而不仅仅是知道一道题目的答案。"

3 练一练

根据上面四行数字的规律，你能找出最下方的问号所代表的数字是多少吗？

$$1\ 9\ 4\ 8\ 3\ 7\ 2\ 6\ 5$$
$$5\ 6\ 2\ 7\ 3\ 8\ 4$$
$$4\ 3\ 7\ 6\ 5$$
$$5\ 6\ 4$$
$$?$$

全身总动员学习法

星期五放学了，丁丁拿着一张试卷兴冲冲地跑进家门，自豪地对妈妈说："妈妈，这次数学测验我考了90分！"

"宝贝儿进步很大啊！要是你能继续努力用功，妈妈相信你下次一定能得100分！"妈妈一边忙着做饭，一边笑着对丁丁说。

"噢！难道妈妈觉得我学习还不够用功？"丁丁心想。

于是，丁丁从周六上午就开始复习英语课，直到下午还坐在书桌旁，手里拿着英语课本，嘴里却哈欠连天。妈妈看见丁丁学习了一天，就关切地问："宝贝儿，你是不是累了？"

丁丁说："是啊，我觉得我的学习效率很低，看了这么长时间，好像什么也没记住。"

"宝贝儿，据调查，一个人在观察事物时，如果光用眼

睛看，他只能接受到大约20％的信息；如果光用耳朵听，则只能得到15％；如果眼耳并用的话，对信息的接受率就高达50％了。所以，我们学习时不能光用眼睛看，应该全身总动员，效率才会高！"

"全身总动员？怎么个全身总动员法呢？"丁丁疑惑地问妈妈。

"全身总动员就是'用眼看、用耳听、用手写、用嘴说、用脑想'啊！比如：你学习英语的时候，可以先自己读读课文，然后做做听力练习，或者用笔抄写单词和句子；做数学题的时候，你除了拿笔写写算算，还要多用脑思考。这样做，各种感官都被调动起来了，你还怕学习会累、会犯困吗？"

"嗯！原来是这样。我会试试这种方法的！"

后来，丁丁按照妈妈说的这种方法进行学习，学习效果明显好多了。

每天三分钟，掌握好方法

好方法1：学习不忘用眼卫生。 我们的眼睛在学习的过程中起着非常重要的作用，很多同学长时间看书后，不注意放松眼睛，造成了眼疲劳。所以大家在课后或者读书一小时后，就应该远眺几分钟，让眼睛得到充分的休息。

好方法2：不忘思考。 北京大学的刘玲同学在谈到学习经验时说，不管用手写还是用嘴说，都不能忽略思考的重要作用，在学习中一定要格外注重用脑，否则一切的学习活动都会变成无用功。

为了充分调动自己的感官进行学习，中考状元胡彬彬同学建议大家："在大家看书累了的时候，不妨将学习资料下载到MP4里面，进行有声阅读，把要学习的内容听一听。这种方法是学习与玩乐两不误的好方法。建议大家把有声阅读的时间控制在30分钟以内，以免损伤听力。"

拿起手中的笔，把下面9个数字按顺序用加号连起来，使其和等于99。（数字可连用）

9 8 7 6 5 4 3 2 1

017 充分利用"最佳用脑时间"

"老师，为什么大家都说'一日之计在于晨'呢？我怎么感觉自己在晚上的学习效率才是最高的？白天记不住的知识，我晚上反而能记得住。"丁丁把自己的疑惑告诉了教科学课的刘老师，他觉得自己的学习习惯和好多同学的都不一样。

刘老师听了丁丁的问题，笑着对丁丁说："别担心，这是很正常的，因为不同的人有不同的'最佳用脑时间'。"

"最佳用脑时间？"丁丁还是第一次听说这个词语。

"对呀，在'最佳用脑时间'里，人工作和学习的效率才是最高的。根据'最佳用脑时间'的不同，可以把人分为三类。像你这种晚上头脑格外清醒的同学，就属于典型的'猫头鹰型'，这类人往往晚间的做事效率高，像科学家爱迪生、大作家鲁迅等人都习惯于晚上工作，他们跟你是同一类型！还有

一种是'百灵鸟型'，这类人白天的做事效率比较高，而晚上则需要好好休息。"

"猫头鹰和百灵鸟这两种分类还真形象。那么，另一种类型是什么呢？"丁丁好奇地问。

"另外一种类型是混合型。他们一般在上午9点—10点达到效率的最高峰；下午2点—3点维持在一天的平均水平，之后又逐渐上升；晚上7点之后又是一个效率高峰。"

刘老师接着说："不管怎样，我们每个人都应该了解并充分利用自己的'最佳用脑时间'，扬长避短，才能提高学习效率。比如像你，就可以把记忆的内容放在晚上，而把思考、做题、听力等内容放在白天。"

丁丁听了刘老师的话，很赞同地点了点头。

每天三分钟，掌握好方法

好方法：用好课堂时间。对于那些上课不认真听讲的同学来说，即使最佳时间利用得再好，也不能弥补在学习上的漏洞。这是因为课堂是我们获得知识的主要途径，课上45分钟把握不好，很多需要记忆的知识我们就不能很好地理解。所以，把握好课堂时间是我们保证学习效率的基础。

2
想一想

大家在"最佳用脑时间"过后应该做哪些工作呢？营养专家提示大家：在"最佳用脑时间"过后，如果体内的营养物质得不到补充，就会使大脑受到损害。所以在"最佳用脑时间"过后可以适当食用一些动、植物蛋白质，如肉类、禽类、海鲜、豆制品等，还要多吃一些新鲜的水果、蔬菜以补充维生素和果糖。

3
练一练

算时间

一天，路路的爸爸在6点多一点出去了，这时分针和时针为110°角，在7点不到时路路的爸爸回来了，此时分针和时针刚好又成110°角。你知道路路的爸爸出去了多长时间吗？

合理利用零散时间

"同学们，今天我们来学习一首古诗，古诗的名字叫《明日歌》：明日复明日，明日何其多。我生待明日，万事成蹉跎。"孙老师一边朗读，一边在黑板上板书。

"有谁知道这首诗表达的是什么意思？"

很多同学都举起了手，不过老师还是把这个表现的机会给了丁丁。

"意思是：今天的事情今天做完，不能拖到明天。"丁丁说。

"这首诗告诉我们一个道理，就是要珍惜时间。"李明明作了补充。

"两位同学回答得很好！那么我们应该怎样珍惜时间呢？这就要求大家充分利用好每一分每一秒，尤其是要重视那些看

似不起眼的零散时间。大家知道怎样利用零散时间吗？"

"我会用课间的时间削好铅笔、收拾好文具，这样上课时就不会因为找文具而分心了！"

"我在周末会用零散时间做一些小卡片，把我没有记住的单词记在卡片上，这样慢慢积累，掌握的单词也就越来越多了。"

"我每天会在临睡前读一些小文章，或者自己感兴趣的报刊杂志，这样有利于开阔自己的知识面，积累写作文的材料。"

"我上学坐公交车时，会背一背古诗词。"

"我在车上会听英语歌曲，培养语感。"

……

最后，孙老师总结说："看来同学们都知道零散时间的重要性，这非常好。在不知不觉中，你的时间会越来越充裕，学习效率也一定能提高很多。"

丁丁也从同学们的发言和老师的总结中学到了很多。

1 学一学

　　好方法：要求式学习法。要善于随时向自己提出要求。比如：英语课上，老师读、讲、说的时候，要求自己默默地跟着读，模仿老师的语音和语调；当别的同学回答问题时，要求自己也默默地回答。这样就增加了动口的机会，充分利用了学习时间。

2 想一想

　　如果大家每天上下学需要坐公共汽车的话，那么坐车的时间也不要浪费。具体怎么用呢？大家可以利用等车、坐车的几分钟来学习，比如在等车的时候记一下英语单词，坐车的时候可以看看路上的汽车牌，比如前面的车牌号码是34526，我们就试试用这几个数做加法，想一想：3+4+5+2+6=？这些都是合理利用零散时间的好方法。

3 练一练

　　将可利用的时间以表格的形式列出来，有助于你找出零散时间，充分利用好每一分每一秒。

我能利用的零散时间	我可以用零散时间做的事情
如：睡前5分钟	回忆今天所学内容

不用分身术的超人

"爸爸，要是我有分身术就好了，这样我就可以同时做很多事情了。比如我在家睡觉，而丁丁2号在上课，丁丁3号在做笔记，丁丁4号在做作业，哈哈……"

爸爸听了丁丁的话也乐了，他想了一下，对丁丁说："这样吧，宝贝儿，我考你一个问题。假设早上起来我想快速做好两件事：第一，洗漱；第二，泡茶。已知条件是：水还没有烧；茶壶、茶杯也没有清洗。问题是，要用最快的时间完成这两件事，你说该怎么办呢？"

"这还不简单啊！先洗脸刷牙，然后把水壶灌上凉水，放在火上，等水烧开后，洗干净茶壶，放上茶叶，倒入开水就行了！"

"哈哈，还有其他方法吗？宝贝儿，再想想。"爸爸鼓励丁丁说。

丁丁想了想，又对爸爸说："嗯，应该把水壶灌上凉水，放在火上，在水还没有烧开的时间里，洗脸刷牙，清洗茶壶、茶杯并放好茶叶，等到水开了就可以泡茶喝了。"

"哈哈！真聪明。宝贝儿，你能告诉我这两种方法之间的不同吗？"

"第二种用的时间少。"丁丁对爸爸说。

"是呀！所以，我们要想顺利完成任务，就应该提高单位时间的效率，这样我们不用分身术，也可以把事情做得又快又好了！"

"单位时间的效率？爸爸，我不明白。"丁丁疑惑地望着爸爸。

"爸爸给你举例说明吧，比如：你要上网浏览新闻、下载学习资料、回复电子信件等。我们都知道，下载资料所用的时间较长，所以我们在执行下载任务的同时，就可以回复信件和浏览新闻啊！当下载任务结束的时候，其他任务不也就完成了吗？这样就可以实现最高的单位时间效率。"

"爸爸，我明白了！不用分身术我也可以成为学习超人了！"丁丁高兴地对爸爸说。

每天三分钟，掌握好方法

学一学

好方法1：**下达明确任务。**不善于安排时间的同学在做一件事的时候，一定要给自己下达明确任务，并要求自己在规定的时间内完成。比如规定自己在3分钟内读完一篇小短文，在一分钟内复述出课堂学过的10个单词……通过这种形式的训练，慢慢地便可以培养起时间意识。

好方法2：**一项任务一次做完。**在我们开始某一项任务后，就要争取一次性做完。千万不要有"明天我再做""我先做其他功课"这样的想法。让自己专注地完成一个任务，这有利于养成良好的时间观念。

想一想

反省对时间的利用情况。考入北京大学的王晓斌同学在谈到时间的利用时说："想要统筹安排好时间，需要我们时常反省一下对时间的利用情况，可以利用每天的睡前十分钟想一想：今天我是怎样利用时间的？是否完成了今天的计划？除此之外，我们还可以用日记把自己对时间的利用情况、学习状况详细地记录下来，每天看一看。用不了多久，我们就会发现自己对时间的利用越来越高效了！"

练一练

利用本节学过的知识，对一天中要做的以下几件事情做出合理的时间安排。

1. 听一首安静的音乐
2. 发信息给同学
3. 上网查资料
4. 午休

压缩你的作业时间

"宝贝儿，今天你一个小时能做完作业吧？"妈妈一边看着闹钟，一边关切地问丁丁。

"不用，我只需要50分钟！"丁丁正在用功做题。

"一小时和50分钟，不是差不多吗？"

"那可不一样！别看这10分钟不算多，但是在我心里，却有好几倍的差别呢。也就是说，做'一个钟头'和做'50分钟'的功课，感觉上的负担，后者要比前者减轻好几倍呢！"丁丁像个小老师似的向妈妈解释。

"哇！儿子，你的理论还一套又一套的，是谁告诉你的？"妈妈笑着问丁丁。

"嘿嘿，是孙老师告诉我们的。有一次她在买菜的时候，发现黄瓜原来是两块钱一斤，但是当超市改成一块九一斤的时

候，她就感觉好像便宜多了，所以就买了很多。她想，如果把这种方式也用在我们的学习上，既可以减轻压力，也能督促我们抓紧时间完成功课。"

"这个方法真的有用吗？"妈妈半信半疑。

"瞧，我们可以拿爸爸做个实验！"丁丁冲妈妈坏坏地笑着说。

"老丁，昨天你只用10分钟就打扫完卫生了！"

"是吗，我这么快就打扫完了？以前不是都15分钟吗？"爸爸也没多想，拿起了扫把就开始打扫卫生。

很快爸爸就收拾完了，妈妈也奇怪了，平时爸爸每次扫地、墩地大概都用15分钟，可是今天告诉他10分钟就可以完成，他竟然真的少用了5分钟！

丁丁从书房跑出来，冲妈妈挤了挤眼，好像在说："看！我说的这种方法的确可以提高效率吧！"

每天三分钟，掌握好方法

好方法：逐渐缩短时间。我们可以在保证作业质量的前提下，逐步训练自己在规定的时间内完成作业。比如以前的作业量自己花一个小时可以完成，那现在就限定自己在45分钟内完成；达到目标后，可再把时间缩短到40分钟。如果在规定时间内没有达到目标，就要想一想自己为什么做得慢了，在哪道题目上浪费了较多的时间。

面对自己一直不想做的作业或者难题，我们该如何进行积极的自我暗示呢？你可以这样想：假如刚才开始写，现在也许就写完了；假如现在写，睡觉前肯定能写完。通过这种心理暗示，你做作业的积极性是不是提高了很多呢？

利用本小节学到的方法对以下情况进行积极暗示。

1. 小明因为考试没及格情绪很低落。
2. 写不出一手好字，我灰心了。
3. 我个头矮，很自卑。

"练一练"参考答案

011. 三随法安排时间

1．蛋黄和蛋清　2．鸟的眼睛　3．雨滴　4．地平线　5．刀的尖

012. 二八法则巧做作业

先做第一项，然后进行第三项内容，如果还有时间，再做第二项；如果时间紧张，第二项内容可以安排到下个周六再进行。

014. 也学也玩效率高

1．一步登天　2．天壤之别　3．天翻地覆　4．一日三秋　5．铺天盖地　6．度日如年

015. 提高举一反三的做题能力

5（将上一行数列去掉最大数和最小数，然后反向排列得到下一列。因此要去掉最大和最小的数，最后剩下中间的数为5）。

016. 全身总动员学习法

①9＋8＋7＋6＋5＋43＋21＝99　②9＋8＋7＋65＋4＋3＋2＋1＝99

017. 充分利用"最佳用脑时间"

假设分针的速度为1，则时针的速度就为1/12。依题意，路路的爸爸回来时，分针比时针多走了110°＋110°＝220°，相当于220÷30＝22/3（大格），所以有：22/3÷（1－1/12）＝8（大格）。8×5＝40（分钟），即路路的爸爸出去了40分钟。

019. 不用分身术的超人

1．在等待开机的时候发信息给同学，查完资料后，上床戴上耳机听音乐准备午休。

2．等待开机的时候打开音乐，并把信息发给同学，查完资料后准备午休。

020. 压缩你的作业时间

1．考试只是对学过的知识进行的一次检验，通过考试重在发现自己没有掌握的知识。努力，下次我一定可以考好的！

2．重在坚持，学一学王羲之吧！我一定可以练好的！

3．我个头虽矮，但是我的特长多！"浓缩的都是精华。"

第三章

在玩中学：
丁丁爱上学习的秘诀

丁丁总是把学习当成一件痛苦的事。老师却告诉他，学习是一件快乐的事，如果你知道怎么在玩中学知识、在游戏中学科学，不仅能激发自己的学习兴趣，而且还能提高学习效率，爱上学习。

牛吃草

家里的辩论赛

　　"素胚勾勒出青花笔锋浓转淡，瓶身描绘的牡丹一如你初妆，冉冉檀香透过窗心事我了然……"星期六，丁丁在家一边看大百科全书，一边悠闲地听着《青花瓷》。

　　"宝贝儿，听音乐可能会影响你读书的哦。"妈妈对丁丁说。

　　"不会的。爸爸，你说我可不可以在看书的时候听音乐啊？"丁丁大声地问爸爸。

　　"你愿意听就听吧！"爸爸笑嘻嘻地回答。

　　丁丁为爸爸能站在自己这一边而暗自高兴。

　　"老丁，你……孩子边读书边听歌，不会分神吗？"妈妈有些责备爸爸的意思。

　　"好，现在辩论开始，爸爸和丁丁是一组，妈妈是一组，进行辩论。辩论的主题是：读书时到底可不可以听音乐。"丁丁看形势对自己有利，马上借题发挥地提了个建议。

"我先说！我觉得听音乐也是一种很好的学习机会。比如像周杰伦、林俊杰，他们都是自己创作歌曲，依靠才华得到了人们的认可。我在听音乐的时候，可以留意他们写的歌词，如果遇到优美的词句，我还可以摘录下来，等到写作文的时候就可以用上了！"丁丁迫不及待地说出了自己的理由。

"但是，一心不能二用，听音乐会影响读书的效果！"妈妈还是坚持自己的意见。

"音乐可以活化脑细胞，音乐还可以提升企业员工的创造力和凝聚力！"做管理的爸爸笑着说。

看妈妈不说话了，丁丁得意地说："妈妈，我们赢了，哈哈。不过，我只是在读课外书的时候听听音乐，平时上课和做作业的时候，我绝不会听音乐分心的！"

"嗯！这才是我的好儿子！"妈妈觉得丁丁真的懂事了。

每天三分钟，掌握好方法

学一学

好方法1：听英文歌曲学英语。听英文歌曲能培养语感，激发学习英语的兴趣。

好方法2：用音乐创设情境。大家可以用音乐创设情境来学习，尤其是文科类的科目。比如学习《枫桥夜泊》一诗时，可以配一段低沉的音乐。这时候残月、鸟啼、寒霜等景物，便随着音乐在脑海中闪现了，这样你便能自然而然地体会到作者沉郁的心情。

想一想

希望二小的赵晓云老师也很赞同学生把歌曲和学过的知识联系起来，她说："很多古诗词被改成了流行歌曲和电视剧插曲，比如《但愿人长久》《念奴娇》等，通过自己听一听、唱一唱，就可以很快把这些古诗词记住了。"

练一练

通过听周杰伦的《青花瓷》，再结合查资料，我们可以知道青花瓷是中国陶瓷王国中的主要品种之一。它不仅与玲珑、颜色釉、粉彩一道并称景德镇"四大名瓷"，而且还享有"国瓷"美誉。

那么，听一听范玮琪的歌曲——《最初的梦想》，你能从中学到什么精神呢？

画画图就能搞定作业

"宝贝儿，来吃饭了。"妈妈对正在做作业的丁丁说。

"妈妈，你们先吃吧，我还在写语文总结呢！"

"噢？写总结？"

"就是这个了。"丁丁把自己的作业指给妈妈看。

妈妈一看，原来丁丁是在写学过的课文总结。

"宝贝儿，你那样写太费劲了，还是妈妈教你一个简单的方法吧！画画图就可以把这份作业搞定！"

"真的？"丁丁半信半疑地问妈妈。

"嗯。"说着妈妈就在草稿纸上画了一棵树，并给树起了个名字叫知识树。

她是这样画的：

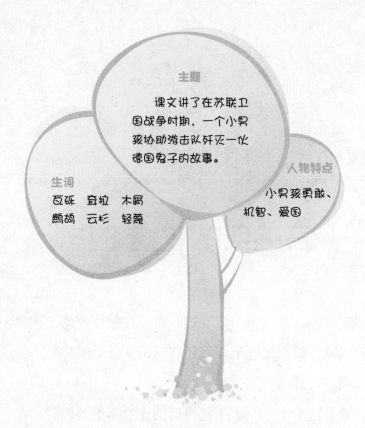

主题

课文讲了在苏联卫国战争时期，一个小男孩协助游击队歼灭一伙德国鬼子的故事。

生词

瓦砾　耷拉　木屑
鹧鸪　云杉　轻蔑

人物特点

小男孩勇敢、机智、爱国

"知识树整理出来的知识真是一清二楚呢！可是，把这份作业交上去，老师会说我偷懒吗？"丁丁把自己的疑问告诉了妈妈。

"不会的，说不定老师还会夸你呢！"妈妈自信地说。

第二天，孙老师在点评作业时，特别表扬了丁丁，说他能把学习与画画相结合，是一种既形象又实用的学习方法，希望大家都向他学习。丁丁脸上笑开了花！

① 学一学

　　好方法：画一画插图。 课文中的插图可以帮助我们更好地理解课文，所以对于课本中没有插图的内容，我们也可以拿起手中的笔，根据自己的理解给文章画一幅插图。这样不仅可以增加学习的趣味性，还可以加深自己对课文的理解。

② 想一想

　　日记可不可以用画画来表示呢？当然可以，尤其是对那些刚开始学写日记的同学来说，这更是一个非常不错的学习方法。你可以用画画的形式把每天的所见、所闻、所感画出来，再用自己学过的字词，加上一些想说的话。画画日记可以让你更能随意地表达自己的感受。

③ 练一练

　　我们可以用"画成语房子"的方法来学习成语。仔细看看下面的"房子"，在圆圈中填入一个字，这个字是上一个成语的结尾，也是下一个成语的开头。

写博客也是一种学习

　　丁丁听说班里的很多同学都在写博客，他对这个也非常感兴趣，放学回家后，在爸爸的帮助下，丁丁也在网上申请了一个属于自己的博客。

　　申请成功以后，丁丁就迫不及待地要写日志："爸爸，其他同学已经写了很多博客日记了，我也要多写几篇，这样就能增加访问量了，嘿嘿！"

　　"当然可以，你想写什么内容呢？"

　　"我想写好玩的事情和自己的感想！"

　　"嗯！这种想法很好。"

　　"爸爸，我写完之后就给你看！"

　　"哈哈，好的。"爸爸鼓励性地摸了摸丁丁的脑袋。

　　半个小时后，丁丁写完了一篇博文，叫《有趣的动物园之旅》。还没等点击发表，他就兴奋地对正在看电视的爸爸说："爸爸，爸爸，你来看看我写得好不好？"

爸爸马上凑过去，仔细地看了博文说："写得还不错！的确挺有趣的。但是，博文里是不是还缺点儿什么呢？"

"哈哈，是缺点儿图片吧！"丁丁看过其他同学的博客，他们都会放许多漂亮的图片。

"对，儿子，把你去动物园拍的照片放上去，那就很完美了。"

"爸爸，我还会在文章里加点儿music呢！"丁丁自豪地对爸爸说。

放上图片和音乐之后，丁丁点下确定键，博文就成功发表了！听着动听的音乐，看着自己写的文字，还有精心挑选的照片，他心里美滋滋的。他想，这真是一种好玩有趣的学习方法，不仅可以提高自己的写作能力，而且还能和同学们通过文字进行交流，从他们那儿学到很多的新知识呢！

1 学一学

好方法1：注重安全。大家在注册博客的时候一定要有安全意识，不要随便泄露自己的地址和联系方式，以免给不法分子可乘之机。

好方法2：学会转载。大家在写博客的时候，除了写自己的事，还可以多看看其他同学写了什么，对于好的内容我们要注意转载，更要善于向其他同学学习。

2 读一读

博客的英文名称是Weblog，由web和log两个单词组成，按字面意思就是网络日记。后来，喜欢新名词的人把这个词的发音故意改了一下，读成we blog，由此，blog这个词被创造了出来。后来，中国人将blog音译为"博客"："博"的意思是"广博"；"客"包含"好客"的意思，指看blog的人都是"客"。如今，使用博客的人越来越多。

3 练一练

当代新语言

时代在前进，社会在发展，语言也在不断发展，让我们一起来玩下面这个游戏，将新新语言填到相应的句子里。

超　闪　百度　菜鸟　挂

1．在网上（　）一下，就能解决这个问题了。

2．跟你相比，我简直就是网络（　）。

3．你们大家慢慢聊，我有事，先（　）了。

4．小洋哭着对同学说："这科又（　）了。"

5．小贝一边吃着妈妈做的水煮鱼，一边说："我（　）爱吃这道菜。"

跟另一个自己说话

"同学们，你们看，鱼儿在自由自在地遨游；你们听，鸟儿在欢快地歌唱。这个世界最生机盎然的就是生命！……"

"丁丁，你在对着镜子说什么呢？"爸爸看见丁丁在卫生间摇头晃脑地自言自语，于是好奇地问丁丁。

"我在对着镜子练习演讲呢！"丁丁冲爸爸笑着说。

"呵呵，对着镜子练习演讲？挺有意思的方法，是谁教你的？"

"下星期五我们班有一场活动，我是发言人。可是每次我上台发言的时候，总是有点紧张，很不自然。所以我就问了班长王晓旭，他可是我们班的演讲大王，他告诉我，要想练好演讲，除了要熟悉演讲内容，不断背诵记忆之外，还要多多练习自己的发音和体态，而对着镜子练习就是最好的一种方式，很

多名人都用过呢。"

"嗯，这个方法听起来很不错，对着镜子，就像是自己和自己说话，自己演讲时有什么问题都能看得一清二楚。丁丁你发现自己的问题了吗？"

"当然啦，我准备纠正自己演讲时的口型，调整自己的表情和动作，让它们看上去更加自然协调。"

"另外，对着镜子还能发现自己的优势，那就是我很帅。"丁丁不忘补充这么一句。

"哈哈，那爸爸预祝你演讲成功喽！"

"嘿嘿，谢谢爸爸！"

经过一个星期的认真练习，在周五的活动上，丁丁的演讲果真受到了老师和同学们的赞扬！

每天三分钟，掌握好方法

1 学一学

*好方法：先理解后朗读。*大家在做演讲训练前，可以先拿来字典、词典，把文章中不认识的或者拿不准的字、词查出来，弄明白，然后再开始朗读。朗读的时候由慢到快，直到最快，这样可以提高自己准确发音、吐字清晰的能力。

2 想一想

口头表达能力是现代人必备的一种素养。当电视和电台里的主持人和播音员口若悬河地表达自己的观点时，你是不是很羡慕他们呢？其实，我们完全可以通过平时对播音员、主持人、演员进行模仿，学习他们的语调、神态和动作来提高自己的口头表达能力。只要坚持不懈，说不定你以后也会成为一名优秀的主持人。

3 练一练

演讲时恰当的语气和停顿可以给听众留下深刻的印象。拿起手中的笔，看能不能给下面的句子找好停顿。

是的这里的湖光山色密柳长堤这里的茂林修竹桑田苇泊这里的乍雨乍晴的天气使我看到了黄鹂的全部美丽这是一种极致

是的它们的啼叫要伴着春雨宿露它们的飞翔要伴着朝霞和彩虹的这里才是它们真正的家乡安居乐业的所在

培养你的数感

"妈妈，你知道我们班的孙芳有多逗吗？"放学后，丁丁笑着对妈妈说。

"怎么了？"

"孙芳是我们班的'恐龙'。她觉得自己数学学得很好，每次她妈妈上街买菜的时候，她都带着一个账本跟着出门。她说妈妈不会算账，自己带着本子可以帮妈妈算，免得上当受骗。有一次，我和金光几个人放学回家，看见她妈妈买了一斤半大葱，大葱每斤8角，卖菜的摊主还没有算账，孙芳就拿出本子算起来了，她很快就告诉妈妈，是1.2元。你说她管得多不多？"

没等妈妈发话，丁丁接着说："孙芳有时候还会把她做作业、吃饭、睡觉的时间都记在本子上，没事还把商店广告牌上的电话记下来，同学们都笑话她，说她得了数学病。"

"宝贝儿，可不能随便说同学的坏话。妈妈觉得孙芳可一点也不傻！她是太喜欢数学了。像她这种方法，你也可以拿来用啊！"

丁丁的头摇得跟拨浪鼓似的，对妈妈说："那可不行，同学们会笑话我的！"

"不会的。我们学语文和英语时，需要培养语感，其实学数学也需要培养'数感'。只有平时多多接触数字，才能培养起自己的数感。数感有了，我们就能把生活中的具体问题和数学联系起来，用数学的方法思考问题。"

"妈妈，你的建议我可以接受，但我坚决不学孙芳。"

"不想学孙芳？那好，我给你布置一个任务，从明天起用笔记本把你的每一笔花销都记清楚，定期给我检查。"

"不会吧？"丁丁平时喜欢买这买那，所以零用钱总是不够用，现在妈妈要监督自己花钱了。他真后悔把孙芳的事儿说给妈妈听了。不过，他觉得妈妈说的很有道理，自己可以尝试一下培养数感，说不定能提高自己的学习成绩呢。

1 学一学

好方法：学数学要多动手。比如：在学习"千克"这个概念时，你可以自己在家里动手称一称，比如一千克的重量是：盐（500克，2袋）、洗衣粉（250克，4袋），通过动手，自己便可以建立起对数的形象认识。

2 想一想

中考状元韩嫒美同学认为，培养数感必须从生活中来，多用数字说话。因为我们的生活离不开数字，它可以用来表示数量、顺序，可以用来测量、命名和编码。比如她上小学时，数学老师要求大家讨论"100万这个数有多大？"有的同学在《少儿百科全书》中查到：100万次心跳是一个正常人99天心跳的次数；有的同学则拿出爸爸书架上的一本书，书的首页注明有100万字。这样我们就对数字有了具体的认识。

3 练一练

请根据下面汉字的谐音，写出数字。

①我的氧气。

②唯一。

③无聊。

④原谅我。

⑤你吃饱了吗？

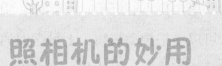

照相机的妙用

"爸爸，跟你说个好玩的事情，我们班的姚伟用照相机拍下了他们小区里的不文明行为，今天还上了《晚报》呢！"

"姚伟这么厉害呢？"

"是啊，他爸爸是电视台的摄影师，所以姚伟从小就喜欢照相。"

"他都用相机拍什么呢？"

"那可多了。比如出去旅游的时候，他会把漂亮的风景都拍下来；学校里组织什么活动，比如运动会，他也会用相机到处拍，就像一个小记者一样；还有周末他会随时带着相机，拍下他觉得有意思的东西，这次上报的相片，就是有人在小区里乱堆放垃圾，被他拍下来了。"

"呵呵，原来是这样啊！姚伟还真是个有心人呢。其实，照相机除了能留住我们的生活外，它的记录功能还可以放在学习上呢！"

"用照相机学习？怎么可能呢？"丁丁疑惑地问爸爸。

"当然可以啦！比如你可以用照相机拍很多风景，上美术课画风景画的时候，用这些照片比照你自己的构图和色彩，你就知道自己哪里画得不够好了；再比如，咱们去动物园和植物园的时候，可以多拍拍动植物，上科学课的时候，我们对动植物的认识也就更深刻了！再比如，你在大街上偶然看见一个很有意思的画面，想要描写出来，又怕自己记不住，这时候拿出相机，先拍下来，回家就可以对照着照片仔细描写了……"

"爸爸，我还可以用相机把你和妈妈吵嘴的情景拍下来，防止你们再次吵嘴！哈哈……"

"这个嘛，这个……也可以……"爸爸吞吞吐吐地对丁丁说。

每天三分钟，掌握好方法

1 学一学

好方法：用手机学习。除了照相机外，在今天的高科技时代我们能利用到的学习工具还有很多，比如我们可以把课外书籍、英文歌曲、教学视频等学习资料下载到自己的手机中，没事的时候拿出来看一看、听一听，这种学习形式不仅简单有趣，还可以让你轻松地掌握大量知识。

2 读一读

初期的照相机体积庞大，十分笨重，携带十分不便。1858年，英国的斯开夫发明了一种手枪式胶板照相机，只要扣动扳机就能拍摄。有趣的是：一次，维多利亚女王在宫廷内召开盛大宴会，斯开夫作为新闻记者也应邀出席。当斯开夫用他的照相机对准女王准备拍照时，突然被蜂拥而上的警卫人员扑倒，一时会场秩序大乱。事后，警卫人员才弄懂，那"手枪"原来是照相机。后来，随着感光材料及摄影技术的进一步发展，照相机也变得越来越小.

3 练一练

仔细观察下图，试着用一条直线将它分成两个三角形。

幻灯片学习法

今天的语文课，当孙老师讲到"一根根荷箭亭亭玉立"这个句子时，很多同学都不明白"亭亭玉立"到底是怎么一回事。为了让同学们彻底明白，孙老师特意为大家播放了一组幻灯片。

孙老师打开电脑，大屏幕上出现了一组图文并茂的动画。一支支荷花的花骨朵矗立在荷塘的画面，伴随着优美的音乐展现在同学们的面前，之后，电脑响起了《天鹅湖》的曲子，画面变成几位芭蕾舞演员，挺拔地伸展着自己的身体，就像刚才画面里的荷箭，而她们的裙子就像是展开的荷叶……丁丁已经完全沉醉在这美丽的画面中了。紧接着，屏幕由上而下缓缓地出现了"亭亭玉立"四个字，丁丁这时恍然大悟，原来，作者是用拟人的方法，把荷箭的那种挺拔、修长的姿态描写出来了。而且，通过这种多媒体，丁丁不仅认识了荷箭，还了解了芭蕾舞。

等幻灯片播放完毕，孙老师笑着问大家："同学们，现在大家明白'亭亭玉立'的意思了吧？"

"明白了！"大家一起回答道。

"那么谁可以用自己的话告诉我'亭亭玉立'到底是什么意思呢？"

孙老师看见丁丁最先举手，就点他起来回答。

"'亭亭玉立'是指荷箭长得特别直，像舞蹈演员一样美，那碧绿的荷叶就是它们的舞裙。"

"丁丁回答得很好。以后大家遇到不明白的词语，我还会制作这样的幻灯片给大家看。"

最后，孙老师补充说："同学们也可以学学幻灯片的制作，学会之后，自己尝试着把学过的知识整理成幻灯片的形式，这种方法不仅形象，还能让你发现不同知识之间的联系！"

同学们都有所收获地点了点头。

1 学一学

好方法：其他材料辅助法。除了幻灯片外，我们还可以尝试着用图片、图表、表格等材料帮助自己理解。比如，你对百分比这个概念不是很清楚，就可以试着在表格程序中制作一个柱状图，对百分比就一目了然了。

2 读一读

你知道吗？中国的皮影戏就是最早的幻灯片。皮影戏的发明还有一个故事呢。两千多年前，汉武帝的爱妃李夫人染疾去世，汉武帝思念心切，终日不理朝政。大臣李少翁想出一个办法，在一间房中准备好灯和帐子，用棉帛裁成李夫人影像，涂上色彩，并在手脚处装上木杆。李夫人的像映在墙上，让皇帝在帐外观看。汉武帝看罢龙颜大悦，就此爱不释手。这个故事被认为是皮影戏最早的渊源。

3 练一练

用数字和汉字填空，使竖列的四个字组成成语，横排的数字组成正确的数学等式。

（ ）+（ ）-（ ）+（ ）+（ ）-（ ）+（ ）=10
（心） （面） （令） （分） （花） （街） （上） （ ）
（ ）+（ ）-（ ）+（ ）+（ ）-（ ）-（ ）=1
（意） （刀） （申） （裂） （门） （市） （下） （ ）

把寓言故事表演出来

六一儿童节就要到了，学校准备举办一个盛大的晚会，要在各个班级里挑选好节目。丁丁和同学们都很踊跃，可是谁都不知道该准备什么节目才能入选。最后，还是班主任孙老师提了一个建议，她说："其他班级都是歌舞表演，咱们班应该与众不同，才能出奇制胜！大家不如把寓言《皇帝的新衣》改成话剧来表演。大家先分组在班里比赛，然后选出最好的一组去演出，好不好？"

"好！"同学们都很赞同孙老师的意见。

姚伟、李玲玲、丁丁和金光被分到了一组。丁丁表面上很自信，可是心里却打鼓：这个故事我虽然读过，但是并不熟悉，能演好吗？

"李玲玲，我们该怎么表演呢？"丁丁问"智多星"李

玲玲。

"我们先分一下角色吧。姚伟做国王，丁丁演骗子，大臣是金光，然后我扮小孩。"

丁丁心想：姚伟肯定能把国王的愚蠢无知表演得天衣无缝，因为他就是那样的人，嘻嘻。

"丁丁，你笑什么呢？"姚伟问丁丁。

"没笑什么，角色分好了，我们就来练习吧！"丁丁赶紧转移话题。

"先不着急，我们再来分析一下人物的特点，国王是愚蠢的，骗子是狡诈的，大臣们阿谀奉承，小孩却天真无邪，所以，我们在表演时要突出他们各自的特点。"

"另外，我们表演时说话要准确、清晰，而且不能照着手里的课本念，要用自己的语言去演。"李玲玲补充道。

"没问题！"丁丁、姚伟、金光齐声回答。

后来在班级比赛中，丁丁这一组的表演受到了老师和同学们的一致认可，丁丁想：这次不仅让我过了把表演的瘾，还让我在同学面前露了一脸，而且我对这个故事也有了更深刻的理解，真是一举多得啊！

每天三分钟，掌握好方法

① 学一学

好方法：请同学帮忙。 背古诗或者记课文的时候可以让同学"帮一下忙"，比如，背诵四句古诗，同学A念第一句，自己念第二句，依次进行。最重要的是一定要加入自己的感情朗读，通过这种口头表演，很快就可以将古诗或者课文记住。

② 读一读

考入清华大学的李晓千同学一直提倡快乐学习，他说："在我上小学的时候，我们班开展了很多有趣的学习活动，比如参观博物馆、游览植物园，天气好的时候我们还会一起出去郊游、爬山等。这些活动加强了同学间的交流和团结，更重要的是学到了很多课本上没有的知识。所以说，学习没有固定的模式，只要能从中学到知识，各种形式的活动我们都应该积极参加。"

③ 练一练

仔细观察图中各行字，找出规律，然后在空格内填入适当的字。

大	夫	丰		悟
匣		柄	厅	茂
	洒	献	背	种
鉴	桃		炬	坚

"练一练"参考答案

021. 家里的辩论赛

只有不断地坚持，我们才能实现梦想。

022. 画画图就能搞定作业

尽心尽力，力争上游，游山玩水，水光接天，天下归心，心平气和，和而不同，同归于尽

023. 写博客也是一种学习

1. 百度 2. 菜鸟 3. 闪 4. 挂 5. 超

024. 跟另一个自己说话

是的／这里的湖光山色／密柳长堤／这里的茂林修竹／桑田苇泊／这里的乍雨乍晴的天气／使我看到了黄鹂的全部美丽／这是一种极致

是的／它们的啼叫／要伴着春雨宿露／它们的飞翔／要伴着朝霞和彩虹的／这里才是它们真正的家乡／安居乐业的所在

025. 培养你的数感

①5617 ②51 ③56 ④065 ⑤07868

026. 照相机的妙用

只需要拿一根足够粗的笔，画一条直线就可以将其分为两个三角形了。如图：

027. 幻灯片学习法

竖列答案：一心一意、两面三刀、三令五申、四分五裂、五花八门、六街三市、七上八下、十寒一曝。

横排等式：$1+2-3+4+5-6+7=10$
$1+3-5+5+8-3-8=1$

028. 把寓言故事表演出来

各行字中分别有：一二三（ 四 ）五；甲（ 乙 ）丙丁戊；（ 东 ）西南北中；金木（ 水 ）火土。因此可填入置、艺、栋、泉。

漫画丁丁

第四章

协作学习：和同学们一起进步

丁丁在课外书上读到了一个叫“水涨船高”的故事，不是很明白，非得让爸爸给自己讲一个生活中“水涨船高”的例子。爸爸说：“比如在学校里，如果你的班级整体进步了，你也会跟着大家一起进步。所以平时一定要和同学们协作学习，这样不仅可以创造积极的学习氛围，还可以使大家在良性竞争中提高学习效果。”

I am sorry
丁丁不小心踩了金光一脚。
I am sorry!
I am sorry too!
I am sorry three!
What are you sorry for?
I am sorry five!

带着疑问去探索

科学课上，有一个叫"黄豆挣破玻璃瓶"的实验，由于进行实验的时间比较长，破裂时间也无法控制，所以刘老师并没有在课堂上给大家做实验，只是把实验结果告诉了大家：豆子在吸足水分后，体积会不断膨胀，产生很大的压力，最终能使瓶子破裂。

"黄豆吸足水后真的能挣破玻璃瓶？"丁丁觉得很不可思议，下课后就去问李明明。

"我也有点怀疑呢。既然我们都有疑问，干脆我们回家分别把这个实验做一做，再看看结果吧！"李明明提议说。

"好！"

李明明和丁丁为了做好实验，一起去图书馆查了很多资料，然后开始做实验。他们是这样做的：

材料准备：

一个薄壁的玻璃瓶、一个软木塞、黄豆若干、满缸清水。

步骤：

把黄豆晒干；

把薄壁玻璃瓶刷干净，取晒干的黄豆放入瓶中，直到占据瓶子的四分之三左右；

在装有黄豆的瓶子里加满水，并用软木塞塞紧；

瓶中的水吸干后，拔出软木塞，继续加满水，再把软木塞塞紧……

两个人分别在家里按照上述的实验步骤进行，可是第一天瓶子没有开裂，第二天也没有开裂……但是丁丁没有灰心，他把瓶子放在阳台上，每天都去观察瓶子的变化。直到一天，丁丁一放学就跑到阳台，发现瓶子已经四分五裂地散落在地上了！他高兴地给李明明打电话，告诉了他这个消息。两天以后，李明明很兴奋地告诉丁丁，他的实验也成功了。

"原来老师说的真没错啊！以后我们在学习中有什么疑问，不妨自己动手去研究一下，这样不仅可以消除疑问，还可以使自己学到的知识更牢固！"

丁丁赞同地点了点头，心想："李明明果然是学习高手，这么会总结学习经验。"

每天三分钟，掌握好方法

学一学

好方法：**动手实践**。比如我们学习了各种图形后，可以用硬纸片剪成长方形、正方形、平行四边行、三角形等图形，然后自己动手拼一拼，找出各种图形之间的内在关系。例如：用两个同样的三角形，可以拼成一个平行四边形；两个直角三角形，可以拼成一个长方形。想一想，还有怎样的拼法？通过自己的动手实践，我们会很快掌握这些图形的知识。

想一想

除了亲手做一做，我们还可以通过哪些简单的方法解决自己疑问呢？查阅相关资料是一个快速方法，比如：学习《赤壁之战》一文时，很多同学存在这样的疑问：曹操败走华容道后，结果怎样？对于这样的疑问，课后就可以查阅《三国演义》原文，从中寻求答案。

练一练

把各个学科中存在的问题填入下表，你是不是可以得到更多的收获呢？

科目	我的疑问	解决了吗	解决方法	收获总结
语文	1.			
	2.			
数学	1.			
	2.			
英语	1.			
	2.			

多与老师交流好处多

"金光，你说'老'的反义词是什么？"丁丁在做反义词练习的时候，他想炫耀一下自己的知识，就有意来考考金光。

金光一听，头也不抬，很自信地回答说："是'新'呗！"

"哈哈，金光你错了，'老'的反义词应该是'幼'。"丁丁笑着说。

金光显然不同意："你说的不对。我没错，以前我还问过我爸爸呢！"

丁丁也坚持自己的答案，两个人争执不下，最后金光说："那咱们去问孙老师，让她来评评谁对谁错！"

"就这么个小问题还找老师呢？"丁丁觉得金光有点儿小题大做了。不过他觉得自己肯定是对的，老师一定会宣布金光

是错的，到时候看他怎么辩解！于是两个人到办公室找到了孙老师。

孙老师听了两个人的话，笑了笑说："其实你们俩说的都没错。"听孙老师一说，两个人都愣了。

孙老师指着她桌子上一新一旧两本课本说："你看，这本书是我们去年用的老课本，但那一本呢？"

"是新课本！"金光扭过头冲着丁丁大声地说。

孙老师继续说："你看，看门的老大爷在逗一个小孩玩呢！"

"老大爷就是'老'，小孩就是'幼'！"丁丁也回了金光一句。

"噢，我明白了，这里的'老'的反义词就变成'幼'了。"金光恍然大悟。

最后，孙老师告诉丁丁和金光："在做反义词练习时，应该联系上下文，体会一下这个词在什么特定的语言环境里，然后再确定它的意思，这样做答案才会准确。"

丁丁心想，以后有问题了还是要多和老师沟通，这样疑问才能更好地解决！

1 学一学

好方法：**主动承认错误**。有的同学受到老师的批评，便在心里记恨老师，或者认为老师对自己有成见，这都是不正确的。老师批评是为了让自己更好地进步，所以要主动向老师承认错误，如果不好意思当面道歉，可以写一个小纸条给老师，这样才有利于师生关系。

2 读一读

杨新是一名初中生，有一次他带手机出门，结果半路手机电池用完了，又没有地方充电。于是，他联想到风力发电机的原理，就和自己的老师商量，能不能发明一种便携充电器。后来在物理老师的帮助下，一种新型"便携式多功能风力发电充电器"成功问世了，这个研究项目还得到了很多专家的好评。

3 练一练

参考下面的形式给你的老师写一封信，把自己心中的话说给老师听。

亲爱的老师：

您好！

我是 ＿＿＿＿＿＿＿

我觉得自己在学习上存在一些问题 ＿＿＿＿＿＿＿＿＿＿

我对老师有几点建议 ＿＿＿＿＿＿＿＿＿＿

我对我们班级有这些建议 ＿＿＿＿＿＿＿＿＿＿

我希望自己在这个学期实现下列目标 ＿＿＿＿＿＿＿＿＿＿

班里的学习小组评优大赛

　　"爸爸，我们班里搞了一个叫'学习小组评优大赛'的活动，我和金光、李玲玲、姚伟、李清、王珍珍、王晓旭是一组。"

　　"评优大赛？听着还蛮有意思。儿子你能不能跟爸爸具体说说，回头我也在公司里搞一场这样的活动。"爸爸很感兴趣地问丁丁。

　　"评优大赛就是以组为单位，通过小组成员各自的优势，大家扬长补短，一起进步！我们是这样分工的：

　　"记录员：王珍珍和姚伟。负责记录我们小组中每个人在学习中遇到的困难。

　　"监督员：李玲玲和金光。负责监督小组成员的学习情况，比如每天的作业能否顺利完成。

"指导员：班长王晓旭。他的学习不错，思维也很活跃，能帮助大家解决难题。

"汇报员：李清和我。我们要及时把小组成员的学习问题告诉指导员，指导员解决不了的，就要找老师请教，然后再把解决方法告诉每个人。

"这些职位是可以轮流换岗的，所以责任也要轮流承担。而且，当我们小组中的某个成员遇到困难的时候，其他成员要帮助他。不然，如果小组有一个人没有完成学习任务，那么这个小组就不能参加评优啦。"

"原来是这样，你们的分工真的很科学、合理。那儿子你觉得这种小组对学习有帮助吗？"爸爸笑着问丁丁。

"当然有了！通过这样的分工，我们更能把精力集中投入到学习中去，而且也便于我们在学习中及时发现自己的长处和短处，学会取长补短。最重要的是，在大家的互帮互助中，我的思维变得比以前开阔了，学习方面的问题也越来越少了！"

爸爸很满意地点了点头，笑着对丁丁说："团结合作、共同提高，这真是一种不错的学习方法！"

1 学一学

好方法：建立组内组。 每个小组成员可依据学习状况，分成二帮一的"三人行"组内组，由两个学习成绩优秀的同学帮助一个学习较差的同学，这样可以使小组进步得更快。

2 想一想

怎样才能让学习小组更有学习的动力呢？那就需要有计划地组织小组活动。比如首先创设一个激励人的组名，如：飞天火箭、我是第一、超级学生；其次要确定目标，小组成员经过讨论后，确定小组阶段和长期的学习目标，比如在学习习惯、学业成绩等方面要达到什么目标等。只有这样，我们的学习小组才能焕发活力。

3 练一练

下面的括号中，只需要填上数字就可以组成一组近似的成语，动动手，看你能否跟小组成员一起合作完成。

（　）波（　）（　），（　）波（　）（　）

（　）夫（　）（　），（　）夫（　）（　）

（　）年（　）（　），（　）年（　）（　）

（　）可（　）（　），（　）可（　）（　）

（　）事（　）（　），（　）事（　）（　）

（　）则（　）（　），（　）则（　）（　）

我来给你做老师

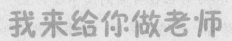

大个子姚伟最近学习有点儿跟不上了，为了不影响小组评优，所以这周末"监督员"李玲玲安排姚伟到丁丁家和丁丁一起做作业。

"姚伟，你哪里有不会的，可以问问我噢！"丁丁很得意地对姚伟说。

"丁丁，我今天想预习下周的语文课文，你能告诉我怎样预习吗？"姚伟有点儿不相信丁丁的话。

"哈哈，幸亏我会做预习，真害怕他问一个我不会的问题，这样就太丢脸了。"丁丁心里大大松了一口气。

于是，丁丁很自信地把自己预习课文的方法告诉姚伟了：

预习很简单的。具体来说预习语文课文要分三步走：

1. 读：朗读或者默读，要做到边读边思考，努力了解课文的大概内容，比如课文写了一件什么事，介绍了一个什么人，描写了一些什么景物，抒发了怎样的感情等等。

2. 写：预习课文不只是读读、想想，同样要注意多动笔。例如：含义深刻的句子画上线，重点的字词加圈加点，有疑难的地方打个问号等。

3. 查：预习时往往会遇到没学过的生字、新词，要了解这些字词的读音、意思或用法，就要运用字典、词典这些无声的老师。

"哇！老师说'三人行必有我师'，果真不错。丁丁你的预习方法真棒！我一定好好向你学习。"姚伟高兴地对丁丁说。

"哈哈，是啊。我爸爸还让我向你学习照相技术呢！你也可以当我的老师。不过以后你学习上有什么问题，问我就可以

了！"丁丁拍着胸脯说，他心里却在打小算盘：看来以后我学习时要更加积极了，不然被姚伟的问题难倒了，那就糗大了！

每天三分钟，掌握好方法

1 学一学

好方法：四问法。 不管是听别人给你讲解应用题，还是自己给别人讲解，都要把握好"四问"。第一，这个问题应该怎么想？第二，为什么这么想？第三，还有别的思路吗？第四，哪一种最简洁？回答清楚这四问，这道题目才算掌握了。

2 想一想

有的同学可能认为，学习时间很宝贵，自己做题都来不及，给其他同学讲题是不是浪费时间呢？答案当然是否定的，给别人讲题不仅是帮助别人，其实，在你讲解的过程中，通过自己的思考、述说，以及其他同学的提问，又一次强化了你对知识的理解。给别人讲明白一道题目，往往比你做十道题目效果还要好。

3 练一练

观察下面的字母序列的规律，写出最后面的那个字母。试着把这道题目的解答思路讲给你的同学听，看看自己能不能讲清楚。

LNQU？

家里的"开心·辞典"

"妈妈，快换频道，《开心辞典》的播出时间到了。"丁丁对坐在沙发上看电视的妈妈说。

"你不是刚看完动画片，怎么又要看电视？"妈妈觉得丁丁今天看电视的时间有点儿多了，对眼睛不好。

"可是我想看《开心辞典》，班里的同学都看，孙老师也说这个节目能让我们学到很多课外知识呢。"

"丁丁，这样吧，我们不看电视上的《开心辞典》了，我们在家里也组织一场《开心辞典》，你自己来参加节目，怎么样？"爸爸提议道。

丁丁听了后，有些疑惑地对爸爸说："我自己参加节目？那就试试吧。"

于是，爸爸很快就找来了家里的摄像机，妈妈打开电脑，找出了《开心辞典》的各类考题。妈妈当主持人，爸爸和丁丁当参赛选手，丁丁坐在沙发上先答。

"丁丁同学请听好，中国的四大民间传说不包括（　）A.《孟姜女》；B.《梁山伯与祝英台》；C.《白蛇与许仙》；D.《公羊传》。"主持人妈妈出题了。

"D.《公羊传》。"丁丁听过A、B、C三个故事，却没听过D，所以他试着选了D。

"恭喜丁丁，回答正确，请听下一题。大文豪莎士比亚的四大悲剧是（　）A.《汉姆莱特》；B.《李尔王》；C.《麦克白》；D.《西风颂》。"

"我请求帮助。"说着丁丁转头问正在摄像的爸爸："老爸，你说选什么？"

"我觉得应该选D。"爸爸有些犹豫。

丁丁看爸爸也不肯定，于是猜了一个"B"。

妈妈问："你确定吗？"

"我确定！"

"很遗憾，正确答案是D。《西风颂》是诗人雪莱的作品。下面有请老丁同学上台。"

丁丁很不情愿地离开沙发，把座位让给了爸爸。他想："和爸爸妈妈一起玩《开心辞典》也挺有意思的，要是以后每天都举行一场那该多好啊！"

1 学一学

好方法：讲故事给父母听。不要总是让父母给自己讲故事，你也可以把故事讲给父母听，然后就故事内容对他们进行提问，或者让他们反问你。这种与父母互动问答的形式不仅很有趣，而且通过提问和解答，还能进一步加深自己对故事的理解。

2 想一想

中考状元张燕小时候非常喜欢跟父母一起学习。她说在小学时，妈妈会跟自己做亲子双向作文的游戏。作文题目是即兴的，比如星期天游览过颐和园后，晚上妈妈就会问张燕："颐和园的风景美不美？"张燕回答："非常美丽。""你能告诉妈妈什么地方美吗？"这时张燕便歪着小脑袋，有板有眼地向妈妈描述她在公园里看到的各种情形。在与妈妈的互动中，张燕的语言表达能力和逻辑思维能力得到了很大的锻炼。想想看，你是不是也可以跟爸爸妈妈玩一玩这样的游戏呢？

3 练一练

写完作业后跟爸爸妈妈一起玩下面的游戏，看看能否根据以下这些数字，猜出相应的成语，并填入括号。

3.5 （　　）

2+3 （　　）

333和555 （　　）

9寸+1寸=1尺 （　　）

1256789 （　　）

034

学习中少不了竞争精神

"爸爸，今天在劳动课上，我们小组得了第一。"放学回家后，丁丁自豪地对爸爸说。

"噢？是什么样的比赛呢？"爸爸好奇地问。

"是生活技能比赛。老师把我们带到学校演示厅的一个模拟卧室，我们的任务就是收拾房间，包括叠被子、整理衣物、收拾书桌和书包、打扫地面。老师先给我们演示了一遍，然后就让我们开始比赛。每组成员轮流进行比赛，比赛有一名计时员和三名评委，计时员统计每个小组成员的平均完成时间，评委就根据收拾的整洁程度进行打分。最后，我们组和刘浏他们组都得了最高的整洁分数，但是我们组用的时间却比他们少，所以我们获胜了！"

"那你用了多长时间呢？"爸爸知道丁丁平时收拾房间总

是很拖拉，所以笑着问丁丁。

"这个嘛……反正我用的时间比平时快多了。"丁丁其实是小组里用时最长的一个，但他没好意思告诉爸爸，所以就模糊地说了一句。

"平时为什么那么慢呢？"爸爸接着问。

"我也不知道啊。可能因为这是比赛，所以我觉得很有竞争感，总想要战胜别人！"

"说的不错。其实，这种竞争精神正是我们在学习中不可缺少的东西。竞争能激发我们的斗志，让我们能不断超越自己。"

"可是爸爸，平时的学习又不都是比赛，我该怎么培养竞争精神呢？"

"这个好办，你可以在学习中找一个竞争对手，也就是树立一个目标，然后努力不断地超越他。"

"那我就把李明明作为自己的竞争对手吧，我一定努力超过他！"丁丁很有信心地对爸爸说。

爸爸笑着点了点头。

1 学一学

好方法：保持良好的竞争心态。 有竞争就会有胜负，所以即使自己暂时处于劣势，也要保持积极进取的态度。不要贬低对方，更不要就此一蹶不振。

2 读一读

你知道吗？曾经连续13年蝉联世界首富的比尔·盖茨先生在读小学时就很有竞争精神，只要他想办的事情，他就一定要干到最好。有一次，学校老师发现孩子们对课本内容不感兴趣，就找了课本中最枯燥的一段文字对孩子们说："谁要能一字不差地背诵好这段文字，就可以免费参加在太空尖塔餐厅举行的聚会。"去太空尖塔餐厅是当时那些孩子都希望参加的事。竞争心极强的盖茨参加了这次比赛，最后他在最短的时间内准确地背下了指定内容。

3 练一练

排球比赛

寿山县的泰安中学、红旗中学、平安中学、玉泉中学、园丁中学5所中学进行排球比赛。按照比赛规则，5所中学进行循环赛，每所中学都要比一场。比赛的结果如下：

泰安中学：2胜2败；

红旗中学：0胜4败；

平安中学：1胜3败；

玉泉中学：4胜0败。

根据以上4所中学的比赛结果，你能知道园丁中学的比赛成绩如何吗？

锻炼思维的头脑风暴法

"爸爸，科学课老师要求我们小组讨论'水的作用'。我觉得水就只能用来喝和清洗东西，哪还有别的作用呢？你说我们该怎么办？"

"儿子，在我们管理学中有一种方法，叫'头脑风暴法'。如果把它应用到你的学习小组中，说不定会取得好效果！"

"头脑风暴？听起来很魔幻呢！"

"呵呵，其实很简单，头脑风暴法就是同学们围坐在一起，主持人把问题明明白白地提出来，营造一个很轻松的气氛，同学们可以随意地、没有约束地提出尽可能多的想法。"爸爸害怕丁丁不明白，所以用最浅显的话语解释给丁丁听。

"原来是这样啊！那我们该怎样进行呢？"

"参加头脑风暴一般5—10人最好，时间控制在半个小时以内，要有一个记录员，把参与讨论的同学的想法不论好坏都完整地记录下来。"

爸爸还把"头脑风暴"需要注意的几点告诉了丁丁：

1. 发言要很自由，不要怕自己说错或说得不好。

2. 发言要争先恐后，而且每个人的发言都要与别人不同。

3. 每个人都不要评论和批评别人的发言，甚至不能有怀疑的表情、动作、神色。

4. 大家提出的想法，数量越多越好。

第二天，丁丁上学后就和小组其他同学试验了爸爸的方法，结果，整个小组想出了水的37种用途，包括"发电"、"分解氧气"、"产生蒸气"、"利用水的浮力造船"等等，科学课上，老师表扬丁丁小组的知识面广、有想象力。其实，连他们自己都觉得很惊讶，原来自己的大脑还蕴藏着这么多的潜能呢。

每天三分钟，掌握好方法

1 学一学

好方法1：创造愉快的氛围。 大家坐在一起进行讨论的时候，一定要保持平等、善意的态度，不能钻牛角尖，既要允许对方有错误见解，也要承认自己的不当之处。

好方法2：问题要有典型性。 尽量选取每个参与讨论的人利用自己的单人力量无法解决的问题，这样才能使每个参与者打开思维大门。比如：电除了用于日常生活外还可以做什么。

2 读一读

"文彦博树洞取球"是一个家喻户晓的典故故事。文彦博是宋朝的一个宰相，相传他小时候和小伙伴在一起玩球，不小心把球掉进了一个树洞里，大家纷纷讨论应该怎么取出来。有的说用钩子钩，有的说用钳子夹，但是都没有用。最后，文彦博非常聪明，他想到一个办法：往洞里灌水，球就自动浮上来了。

3 练一练

和你的同学们进行一次"头脑风暴"，思考一下一张废纸可以用来做什么。把你的答案整理出来。

我们一起在游戏中学习

　　这节课是英语课，张老师笑眯眯地对大家说："这节课，我们来做一个小小的游戏，游戏的目的是让我们一起复习一下上个单元学过的单词和句子。游戏的规则是这样的：同学们分成五个小组，轮到某个小组的时候，该小组成员上台排好队，都闭上眼睛。我给队伍最前面的同学出示一个单词或者句子，然后他根据看到的单词或句子的意思，表演给他后面的同学看，只能用肢体语言，不可以开口说话。然后第二个同学再表演给第三个同学看。直到小组的最后一名同学，根据前一个同学的动作，把小组表演的词汇说出来。大家都明白了？"

　　同学们大声回答说："明白了！"

　　丁丁、金光、刘浏、李明明、姚伟、王珍珍和王晓旭是第一组。

游戏开始了，王晓旭带领大家走向讲台，他看了看老师的词语后，对后面的王珍珍做了一个睁圆眼睛、张大嘴、双脚离地跳起来的动作。

于是王珍珍对后面的姚伟也做了一个跳跃的动作，并且睁大眼睛，把双手放在了嘴巴上。就这样，一个传一个，倒数第二的是金光，最后一个是丁丁。金光对着丁丁做了一连串的夸张动作，丁丁看了金光的表演，挠了挠头对老师说："我们小组表演的是'I am died（我死了）'。"

听完丁丁的回答，金光气得眼冒金星，其他同学都笑得东倒西歪了。张老师也笑着对大家说："我们来看一下正确答案。"

原来，张老师给王晓旭看的句子是："I feel afraid（我很害怕）。"

丁丁一看，自己也笑了，他心想："嘿嘿，是金光表演得太不像了，不然我不会猜错的。这种在游戏中学习的方法真有趣，而且我们团队的协作性也不赖！"

1 学一学

　　好方法：把学习内容变成游戏。可以在老师和父母的帮助下，把自己学过的知识都变成游戏。比如邀请几位同学和你一起，把新学的成语故事如"狐假虎威"表演出来，一个扮演猎人，一个扮演老虎，一个扮演狐狸。请其他同学当观众，评价你们演得精不精彩。

2 想一想

　　什么样的游戏适合我们玩呢？光明小学的李哲老师说："小学生最适合开展那种有益于开发智力、强壮身体、不带危险性、充满竞争性、活动强度适中、适合多人参加的游戏。比如各类知识竞赛、思维游戏、科学实验，等等。"

3 读一读

　　很多游戏都包含着值得我们学习的知识，把做过的游戏按照下表的形式进行整理，看是不是从游戏中获得了更多的知识。

游戏名称	开展时间	游戏内容	通过游戏学到的知识
例：垃圾分类游戏	科学课	1．老师介绍垃圾分类。 2．用卡片代表不同的垃圾。 3．将垃圾分别分到可回收垃圾和不可回收垃圾下面。谁分的最快谁取胜。	明白了可回收垃圾和不可回收垃圾是如何分类的。

同学帮你自省

"经常跟同学们沟通，多进行自我反省，这样你的学习才能进步。"这是爸爸经常对丁丁说的话。

"可是，我觉得自己学得非常好，似乎也反省不出什么来了。"丁丁心想，"干脆，让同学们说一说我存在的问题吧！"

于是，丁丁登录了QQ，在班级群里发了这样的一条信息："大家觉得我在学习上有什么缺点？"为了让大家能说出真实的想法，丁丁补充了一句："谁说得最好，我就帮谁做值日搞卫生！"

听说丁丁要帮助别人值日，群里的同学马上活跃起来。

"丁丁上课总是开小差，尤其是上语文课的时候。"一个网名叫"金子亮光光"的同学说。

不用想，这个肯定是金光，丁丁自言自语道。

"做作业以后不爱检查。"

"做数学题总是不细心。"

"丁丁，你在干什么啊？"爸爸走过来问丁丁。

"我在听同学们批评我呢！"丁丁有些委屈地对爸爸说。

爸爸凑过去，他看了大家的回答后，笑着对丁丁说："这是大家在帮助你，提醒你改正错误呢！要不，你再发一个'我在学习上有什么优点'的问题，再看看大家怎么说。"

丁丁按照爸爸的话在群里又发了一条后，也引起了同学们的注意。

"丁丁在学习上能够做到知错就改。"

"丁丁不懂就问，有一种打破沙锅问到底的精神。"

……

"你看，同学们对你的评价多公正啊！所以，在平时的学习中，我们要多多听取同学们的意见和建议，主动改掉自己身上的缺点，这样我们就能不断进步了！"

丁丁很感谢那些可爱的同学，觉得他们是世界上最可爱的人，因为他们能帮助自己不断进步。

每天三分钟，掌握好方法

好方法：找一个好榜样。我们可以在日常学习和生活中找一个榜样，经常与他（她）做做比较，这样就很容易发现自己的缺陷，并督促自己改正。

如果想让其他同学给自己指出缺点，但又不好意思说，你该怎么办呢？你可以给班里的每一位同学发一张小纸条，让他们写出你在学习和生活上存在的不良习惯，然后收集起来，改掉一个就扔掉一个。慢慢你会发现，自己变得越来越有进步了。

汉字摩天轮
在摩天轮的中间填入一个字，使它和周围的每个字都组成一个新字。

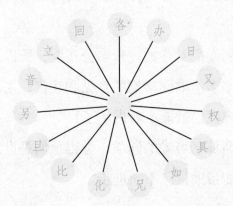

在相互监督中共同进步

　　"金光，昨天在QQ群里说我上课总是开小差的，那个人是你吧？"第二天课间，丁丁假装很严肃地问金光。

　　"是……是我说的，怎么了？"

　　丁丁严肃的脸马上变了，嘻嘻地笑了，对金光说："我是要谢谢你，因为你给我指出了学习上的缺点啊！"

　　"噢！原来是这样啊，我还以为……"

　　"以为我要找你算账是吧？"丁丁接过金光的话说。

　　"呵呵，那丁丁你看这样好吗？以后咱们在学习上互相监督，我把你的错误指出来，你把我的错误指出来，这样我们就可以越来越进步了！"金光提议道。

　　"好啊！你数学学得不错，可以教我做题；我语文学得更好，可以给你补习。而且，我们还可以相互监督按时完成作

业。"丁丁高兴地对金光说。

"可是，我在家又看不到你在做什么，怎么监督呢？"金光挠了挠头问丁丁。

"这个嘛，你做完作业后就打电话告诉我一声，让我知道你已经做完了。我做完后也告诉你一声，这样你也知道我做完了。周末我们还可以约好时间一起复习功课，一起做作业啊！这样我们就不会偷懒了。"丁丁告诉金光说。

"不过，丁丁，咱俩在一起的时候真的能认真学习吗？我们可能会不自觉地玩起来呢，你说是不是？"金光把自己的担心告诉了丁丁。

"哈哈，完全有可能。要不，我们也叫李玲玲参与进来吧，她的自觉性比较强。"

"这样就太完美了！"金光高兴地说。

每天三分钟，掌握好方法

1 学一学

好方法：接受父母的监督。除了同学的监督外，我们还可以接受父母的监督。用心听一听父母对自己的建议和意见，有利于自己改正缺点、提高素养。

2 想一想

尖子生孙长文同学在谈到与别人合作学习时说，上小学时，班干部经讨论提出了分小组监督学习的方案。他们将班级40名同学分成了5个小组，每组都选出了一名小组长，负责提醒每位组员上课认真听讲，课后按时完成作业，等等。这种监督学习的方式，使很多同学的成绩都有了大幅度的提高。

3 练一练

把每天的学习计划以清单123的形式列出来，交给同桌看。放学后对照清单，检查自己完成了多少，没完成的原因是什么，并且让同桌对自己一天的表现做出评价。这样便可实现自我监督与被监督相结合。

某年某月某日学习计划表

我要完成的学习计划	完成情况	来自同桌的评价
1．背诵十个英语单词	完成	今天他的学习很认真
2.		
3.		

"练一练" 参考答案

031. 班里的学习小组评优大赛

一波未平,一波又起;一夫当关,万夫莫开;十年树木,百年树人;只可意会,不可言传;成事不足,败事有余;有则改之,无则加勉。

032. 我来给你做老师

Z。按照26个英文字母顺序的顺序,字母序列中的字母之间相继跳过了1、2、3、4个字母。

033. 家里的"开心辞典"

不三不四;接二连三;三五成群;得寸进尺;丢三落四。

034. 学习中少不了竞争精神

3胜1败。一共有10场比赛,各个中学都必须跟其他4所中学比一场,4×5＝20（场）,但是每场有两校出赛,所以,20÷2＝10（场）,总共应该有10场胜。题中所给一共胜了7场,那么说明园丁中学胜了3场,并可以马上算出园丁中学有一败。

035. 锻炼思维的头脑风暴法

1. 擦窗户 2. 叠飞机 3. 包书皮 4. 做剪纸 5. 烧开水……

037. 同学帮你自省

十。它和"立、音、另"等字重新组合成的汉字是"辛、章、男、早、毕、华、克、姑、真、枝、支、早、协、备、固"。

第五章

分科方法：
让各科成绩都牛起来

丁丁在学习上花了不少时间，下了不少工夫，但似乎收效甚微，这一阵数学出问题，过一阵语文又退步。后来妈妈告诉他："不同的学科，学习方法也不同，用一套方法是不能全面获胜的。"聪明的丁丁明白了："噢！原来各科的学习也要有独特的方法啊！"

四五个鸡蛋

今天听写四个字，我错了五个。

哪四个字呢？

是成语"肆无忌惮"。

那怎么错了五个呢？

我听成了"四五鸡蛋"。

我觉得不通顺，就写成了"四五个鸡蛋"。

怎样杜绝错别字

　　"嘿！丁丁，周三语文小测验你考了多少分啊？"放学后，刘浏一边收拾书包一边问丁丁。

　　"看样子，刘浏一定考得不错，要不他也不会这么积极地问我的成绩了。"丁丁心想。

　　"我考了94，你呢？"丁丁回答刘浏说。

　　"我考了98！那2分还是因为书写太差被老师扣掉的。"刘浏很自豪地说。

　　丁丁可不希望被比下去，于是他就想考考刘浏，他问："有的字长得太像了，我做字词题的时候总是会出错，而且写作文的时候也老写错别字。刘浏，你能教我怎么记忆那些形似的汉字吗，比如'辨、辫、辩、瓣'这四个字？"

　　"之前，我也在这问题上栽过跟头，后来我学到了一个好方法——对比记忆法，就是把长得像的汉字放在一起，比较它们不同的地方，然后结合字的意思来进行区分和记忆。"

"我还是不太明白。"丁丁挠着头对刘浏说。

"那就拿你说的例子来讲吧。'辨、辫、辩、瓣'这四个字，区别就在中间部分。'辨'：辨别方向要用到眼睛，所以咱们可以把'辨'中的那一点想象成眼睛，那一撇是眼皮；'辫'：头发丝能扎成辫子，所以中间是绞丝旁；'辩'：张嘴说话才能争辩，所以中间是言字旁；对于'瓣'，我们可以这样想——花瓣谢了能长'瓜'。如果学会了这个小窍门，你还会记不住这四个字吗？"

"原来是这样啊！你一说我就明白了，谢谢你！"丁丁心里偷偷想："刘浏虽然爱卖弄学问，但他的方法还真是有用！"

每天三分钟，掌握好方法

1 学一学

好方法：加减记忆法。我们可以通过加减偏旁部首来轻松记忆汉字。比如，如果你分不清"幕"和"暮"，就可以注意区分它们的偏旁，"幕"是"莫+布"，表示用一块布遮挡，如"帷幕""夜幕"；"暮"是"莫+日"，表示太阳落山，如"暮色"。

2 想一想

对于结构和笔画十分复杂的字，我们该怎样记呢？可以先把它们一部分一部分拆分开来，再组合起来记忆。例如《晏子使楚》"淮南的柑橘，又大又甜"中的"橘"（jú）字，这个字就比较复杂，而且右下角小框框里很容易误写成"古"。这时你就可以先拆一拆："木+矞"，然后分一分右下角框里的内容，还可以想象：柑橘真甜，让人恨不得用"八"张"口"去吃！

3 练一练

在阅读时我们会遇到一些惯用语，如果对这些惯用语不熟悉，就无法弄清句子的意思。根据下面的提示，看自己能不能填上相应的惯用语。

1. 把世故圆滑的人喻为（ 老油条 ）

2. 把恩将仇报的人喻为（   ）

3. 把接待宾客的当地主人喻为（   ）

4. 把吝啬钱财、一毛不拔的人喻为（   ）

5. 把蛮横无理、独霸一方的人喻为（   ）

怎样扩大自己的词汇量

孙老师经常告诉大家，语文学习重在积累，所以她要求大家平时一定要扩大自己的词汇量。这一天的语文课上，学到了一个新字"瞅"，孙老师问大家："谁知道'瞅'的同义字是什么？"

"是'看'！"丁丁没等举手，就很积极地抢答了。

"对，那么表示'看'的汉字还有哪些呢？"

丁丁一听，不出声了。这时候代建举手站了起来，说："能表示'看'的字还有：望、视、瞧、瞪、盯，等等。"

"非常好，代建同学平时一定非常注意积累字词，大家要向他学习。"孙老师又向大家再次强调了积累的作用。

下课后，丁丁找到了代建，问他平时有哪些积累字词的绝招。

代建对丁丁说："其实很简单。许多词语都有同义词和反义词，如果我们学会一个词，就把这个词的同义词和反义词也掌握了，这样，别人只学到一个词，我们却能学到一大组词汇，词汇量自然就自己比别人多了。"

"嗯，是个好办法！"丁丁点了点头。

"我课上回答的那个问题，其实还有其他答案，不信的话，你现在就可以查查字典，看看还有哪些字能表示'看'的意思。"代建补充了一句。

"是吗？我现在就查！"丁丁连忙拿出字典，不到几分钟时间，他果真找到了"瞄、瞰、瞥、瞟、览、瞻、觑、观、瞩"这些字都有"看"的意思。代建的这个方法太有用了！

"我是不是可以把和'看'字有关的词语也找出来，积累在一起？"

"当然可以啦！"

"谢谢你，代建！"

"不用谢，请我吃肯德基吧！"代建眨了眨眼睛对丁丁说。

丁丁心想：代建真贪吃！不过我学到了好方法，请他吃一顿也没关系。

每天三分钟，掌握好方法

1 学一学

　　好方法：用学到的汉字组合新词。汉字的字义丰富，组词造词能力强，所以同学们学会一个汉字后，就要试着用这个字去多组词，如"生动"两字，"生"可组成"生活、生产、生气"等，"动"可组成"动力、动员、动工"等。

2 想一想

　　小学语文特级教师王洪钦认为，要想扩大词汇量，离不开阅读。平时多看课外书，词汇量自然会更丰富。同学们还可以准备一个专门的笔记本，读书时遇到一些好词好句，就抄在笔记本上，随时拿出来翻阅记忆。另外，我们还要注意在日常生活中积累新词、运用新词的良好习惯，比如"酷"、绿色通道、特快专递、海选等等，这些词汇都来源于生活中的积累。

3 练一练

　　查查字典，找出与下面几个字意思相关和相反的字与词。

意思相关：走、听、说
意思相反：高兴、简单、干净

正确理解词语的好方法

这周末，丁丁和代建一起在肯德基见了面，丁丁用自己的零花钱请代建吃汉堡包。

"代建，你看我肯德基都请你吃了，你能不能再告诉我怎么理解词语呢？我每次做'解释句中加点的字'都没有把握。"丁丁笑嘻嘻地问代建。

"我还要一杯可乐。"代建边吃边对丁丁说。

"好的！"

"其实我也不太会理解词语。我的方法是把每个字都解释出来，然后把它们连起来。比如咱们学的《桂林山水》，里面有'水平如镜'这个词，可以这样解释：水，水面；平，平静；如，好像；镜，镜子。然后把这些意思连起来，就是：水面平静得好像一面镜子。"

"嗯，这个方法挺好的。但是有的词语很抽象，单个字我都不知道什么意思，那该怎么办？"

"这我可不会了，你要不去问问孙老师，或者上网查查吧。"

丁丁看代建也不会，就不再问了。回家后，丁丁打开电脑，仔细地查资料，还真的找到了一种理解抽象词语的好方法。

想象生活情景。我们可以联想生活、学习中的相同情景，来理解抽象的词汇。

如《北京》一课中，有这样一句话："天安门在北京城的中央，红墙、黄瓦，又庄严又美丽。"其中"庄严"这个词，意义比较抽象不易理解。我们可以想象同类型的情景，比如学校升国旗的情景，在这种情况下，大家都很认真、很严肃。这样就理解了"庄严"这个词的含义了。

丁丁找到这个方法后很高兴，首先是因为自己又学习到了新知识，其次是他心里打起了一个小算盘："明天我把这个方法告诉代建，让他回请我吃汉堡包！"

每天三分钟，掌握好方法

好方法：删减法。把句子中的抽象词汇删掉，体会去掉这个词之后句子意思的变化，然后理解这个词语。例如，《音乐家聂耳》中有一句"天阴沉沉的，快下雨了。聂耳全神贯注地拉着小提琴，一点也没觉察。"我们可以先把"全神贯注"这个词拿掉，自己想一想，聂耳为什么没有觉察到天快下雨了？是因为他拉琴很专心，精力很集中。那么，"全神贯注"这个词表达的就是精力集中、很专心的意思。

对含有比喻、象征等修辞手法的句子，大家不妨从比喻、象征意义中去理解。如《我的伯父鲁迅先生》有这样一句话："四周围黑洞洞的，还不容易碰壁吗。""碰壁"并不是真的撞在墙上，而是比喻革命者没有自由，到处受迫害。

遇到不理解的词语，我们可以通过近义或反义的比较，发现词语之间的区别，进而理解这个词在课文中的意思。比如，《精彩的马戏》有一句话写道："山羊还表演了它的绝技。"

请对"绝技、技术、技巧"这三个词进行比较，然后用自己的话说出"绝技"的含义。

培养对阅读的兴趣

"晓旭，孙老师经常告诉我们说阅读有助于培养语感，提升语文水平，其他同学都在课外读很多书籍，可为什么我对阅读没有什么兴趣呢？"丁丁挠了挠头，把自己的困惑一股脑儿地告诉了班级的阅读积极分子王晓旭。

听了丁丁的话，王晓旭笑了笑说："要想对课外阅读感兴趣，可不能只是拿着书本读，我们还可以通过几种方法来培养阅读兴趣。一旦对阅读有了兴趣，你不读都不行了！"

"快说，快说！"

听：阅读不一定就是捧着书本看，"听"也是另一种有趣的"读"。比如我们可以听录音带、听广播，或者听长辈们讲述一些历史和故事，这些方法一样可以增长自己的课外知识。

说：在读完课外书或者报刊以后，我们还可以尝试着用自己的话讲一讲书中的故事，说一说自己读书的感想。比如可以几个同学一起阅读同一本书籍，然后分享各自读书后的心得。再或者，找几个同学组成一个读书委员会，每个人每月负责推荐一本"我喜爱的书"，大家共同阅读，交流想法。

写：我们可以根据读过的书籍办相关的手抄报和手抄小杂志等，巩固自己的阅读成果。

演：可以将名著故事分角色进行表演，也可以用相声、快板等文艺节目的形式再现故事情节；如果你读的是自然科学读物，读后也可以进行实验操作，进行演练。

行：行万里路，读万卷书。读书不能离开实践，所以平时我们要多注意观察，比如春夏秋冬四季的变化、花草树木等自然景观，这样我们对一些课文中的景物描写就会有更深的感受。再比如参观博物馆，我们就可以了解很多历史、风俗、地理、科技等知识。

"哇！晓旭真不愧是班长，要是我能把你说的都做到，我就不愁不爱读书了。"

"同学之间应该相互帮助，共同进步的！"

"我不用请你吃汉堡包吧？"

"呵呵，我才不像代建那样贪吃呢！你放心好了！"

丁丁长长地舒了一口气。

学一学

　　好方法：学会写读书笔记。俗话说"好记性不如烂笔头"，阅读时做好读书笔记，能增强读书的效果。①摘抄原文。阅读中遇到好词佳句进行摘抄，丰富写作素材。②提纲式摘录。归纳所读文章的主要内容，培养总结、概括的能力。③写读后感。抒发读书感受，评价文中的人物、事件、语言等，并记录下来，久而久之，就能养成写读书笔记的习惯。

想一想

　　中考状元谭宇同学在谈到读书时说："我在理解课文主题的时候，会用问题概括法来概括主要内容。因为作者写一篇文章，往往是围绕一个中心，抓住几个问题，按照一定顺序来写的。所以我们在读文章时要想一想，作者要说明的是哪几个问题？把这些问题概括出来，就是文章的主要内容。"

练一练

典故里的主人公
　　阅读下面的成语典故，猜猜它们的主人公是谁？

四面楚歌（　　）　入木三分（　　）　初出茅庐（　　）

纸上谈兵（　　）　煮豆燃萁（　　）　指鹿为马（　　）

围魏救赵（　　）　卧薪尝胆（　　）　退避三舍（　　）

毛遂自荐（　　）　望梅止渴（　　）　背水一战（　　）

043

班里来了"牛魔王"

"大家好，由于数学课李老师生病请假，以后就由我来暂时教你们数学。"

"啊？不会吧？"当表情严肃的牛老师拿着数学课本走进教室的时候，全班四十多个同学不约而同地发出了一声惊叹，他们的脑海里都浮现出牛老师的光荣事迹：

代课老师：牛老师　　绰号：牛魔王

荣誉：四大名捕之一（非常会抓考试作弊）

教学必杀技：以扫促学（以打扫卫生促进学习）

"从今天起，每天我会给大家布置一些简单小测验，成绩最差的五位同学，放学后打扫卫生，以示'奖励'。"牛老师一来就给了大家一个"下马威"。

丁丁小声地对金光说："完了！牛魔王在我们班的可怕统治就要开始了！"

"现在，大家就把书和笔记本收到抽屉里，准备测验吧！"讲台上的牛老师面无表情地说。

在牛老师出的十道题目中，丁丁只错了两道，最后五位同学还真的被牛老师留下来打扫卫生了。

第二天，丁丁又做错了两道，可是他却被牛老师留下来了。

"金光你错了几道啊？"

"两道，嘿嘿，不需要打扫卫生的！"金光自豪地说。

"我也错了两道，可是为什么要打扫卫生呢？"

"因为你犯了同样的错误！"不知什么时候，牛老师竟从后面"冒"出来了。

丁丁连忙低下了头，金光也不敢说话了。

牛老师对丁丁说："昨天是那两道题目做错了，今天同样的题型，就是换了两个数字，你又做错了，这就是最大的错误！以后，错了的题目至少应该再解答三遍，然后把错题认认真真地抄到错题本上，在下次考试之前，再把这个笔记本拿出来，仔细解答一下，记住，一定要像考试一样，完完整整地做一遍，确保不再错！"

丁丁被牛老师说得脸一会儿红一会儿白，心情很沮丧，不过他心想："牛老师也是为了我好，以后我一定要好好地把错题改改了！"

① 学一学

好方法：对错题分类整理。把每一道题错误的原因写清楚。比如：1. 简单题目由于粗心计算错的。2. 难度较大，审题出错的。3. 课本知识没有掌握的。出错原因相同的题目归纳在一起，这样看起来就会一目了然，什么题目会因为什么原因做错也就更清晰了。

② 想一想

考入北京大学的韩思正同学建议大家可以和同学交换错题本，他说："每个同学的学习情况不同，所以他们建立的错题本也各不相同。通过交换错题本，你看我的，我看你的，大家可以从其他同学的错误中吸取教训，得到启发，以此警示自己不要犯同样的错误，提高做题的准确性。"

③ 玩一玩

大家可以按照以下形式整理错题。这种形式简单好用，可以让你对错题有进一步的认识。

错题	错误原因	相关知识点	正确解法
1.			
2.			
3.			

李玲玲的"图示法"

　　班里有一个人比丁丁还倒霉，那就是"小巨人"姚伟。他一共连续打扫4天卫生了。

　　"玲玲，老师上课讲的知识点我都会了啊，但是应用题还是会出错，你说我该怎么办呢？"姚伟问班里的"智多星"李玲玲，因为她的数学成绩在班里很突出。

　　因为座位离得近，丁丁也凑过耳朵去，想听听李玲玲的方法。

　　"既然知识点你都掌握了，肯定是没有掌握好的解题方法。我教给你一个简单、好用的解答应用题的方法吧！这是我在做题过程中总结出来的！"

　　"快说，快说！嘿嘿。"丁丁迫不及待地对李玲玲说。

"这个方法叫'图示法'。我举一个例子给你们看。"说着，李玲玲拿出了练习册，翻开其中的一道题：

妈妈买来一袋橘子，分给爷爷6个后，剩下了1/2还多4个，那么妈妈一共买回来多少个橘子。

"我们可以把这道题画出来。画一个圆表示一袋橘子，然后画一条直线，把圆分成两半，每个半圆就是1／2，表示整袋橘子的一半。在其中的一半中，画出给爷爷的6个，还有4个表示'剩下的1／2多4个'。"李玲玲一边解释，一边在草稿纸上画出了一个图：

"你们看，一半是6+4，正好是10个，所以妈妈一共买了20个。"

"哇！真神奇啊，玲玲你真聪明。这样解题既简单，又很准确，以后我们也要学会用这种方法。"丁丁和姚伟都对李玲玲大加赞叹。

后来，姚伟用了李玲玲教的方法，数学小测验的成绩马上就提高了，再也没有打扫过卫生了！

每天三分钟，掌握好方法

好方法：解应用题时一定要仔细审题。数学语言的表达往往是十分精确的，所以我们审题时，就要仔细看清题目的每一个字、词、句，只有领会其确切的含义，才能寻找解题的方法。

山西省的程玲梅老师总结出的"三读法"，能帮助同学们攻克解应用题的难题。具体是：1. 解题前要读。首次读题，一定要弄清已知什么，求什么，并在纸上把已知和所求列出来。2. 解题中要读。这次读是用来寻找解题的突破口。一边读，一边将题目信息涉及到的知识点列出来。3. 解题后要读。即再次将题目、分析过程和列式、解答通读一遍。这次读的过程重在想，想一想自己的解答是否符合题意，并且再用笔将过程演算一下。

利用上文学到的方法，解答下面这道题目。

操场上有一些同学，女生人数是男生人数的4倍，如果每次同时有2名女生和1名男生回到教室，若干次后，女生剩下8人，男生剩下1人，操场上共有多少名同学？

做好例题是关键

"妈妈,为什么李明明能用好几种方法做一道数学题,而我却只会用一种方法呢?"丁丁不解地问妈妈。

"我有一个好方法,可以助你一臂之力。"妈妈笑着对丁丁说。

"什么好方法啊?妈妈快告诉我!"

"这个好方法,就是把课本上的例题和习题做熟、做透!"

"噢?这算什么好方法!"丁丁不屑地对妈妈说。

妈妈笑着对丁丁说:"这个方法可不是我随便说出来的,这是一个著名数学老师总结的经验之谈。之所以要认真做课本上的例题和习题,这是因为:第一,课本上的习题是编教材的老师反复考虑挑选出来的,是最具代表性的题目,值得去做。第二，做课本上的例题可以加深你对概念、公式的理解，而且许多试题都是书本上例题和习题的变体。所以，好好掌握书本中的例题和习题，并学会融会贯通，举一反三，这对成绩的提高是有很大帮助的。"

"可是，妈妈，我该如何利用书本上的例题和习题呢？"丁丁觉得妈妈说得很有道理。

"你可以在作业本上把例题抄下来，先合上课本，不要看书里的解法，等解答完了，再翻开课本参照例题一一对照，看看自己的解题方法和步骤是否跟书中一致。然后再想一想自己能不能用其他的方法把例题做出来。做完之后，你还可以把同类型题的解题方法写出来，归纳在一起。等到考试的时候，一看到这种类型的题目，该怎么解，你心中也就有数了！"

"嗯！"丁丁高兴地回答道，他很乐意听到这么简单又实用的方法。

1 学一学

好方法：不忘考卷。除了课本上的例题，我们还可以做做平时考卷上具有代表性的题目，比如：老师讲评试卷时候划出的易错点、重点，自己做错的题目等。做好这些题，可以进一步加深大家对基础知识的理解。

2 想一想

特级教师李玉玲老师提醒小学生：课本上的例题不仅要做，而且要思考。每次做完例题，最好在题目后面写上自己解题的心得：这道题目有什么特点，自己是怎样思考的，在什么地方容易出错，解题时应特别注意什么，等等。通过这样的总结，我们就能够透彻地理解这一类题目，解起同类的题目就毫不困难了。

3 练一练

做一做下面这道典型题。要求：写出具体的思路和步骤。

一种鲜奶，每袋零售价是1.1元。小华家四月份（30天）每天预定3袋这样的鲜奶，按优惠价共付了85.5元。请问优惠价每袋多少元？优惠价每袋比零售价便宜多少元？

惹不起的牛老师

"爸爸，我真想念李老师！"丁丁对正在看书的爸爸说。

"噢？"

"李老师病了，'牛魔王'暂时教我们数学课，我有点讨厌他，因为他太严格了。他除了每天要求我们做小测验外，还给我们布置了不少练习。我最不喜欢的是，他甚至要求我们每天写数学日记。每天的语文日记就够我发愁了，数学会做题就行了，写日记有什么用处呢？哼，我才不想写呢。"

爸爸笑了笑，对丁丁说："有句话说得好，'严师出高徒'。老师严格一点儿，更能督促我们改正错误、不断进步呀！牛老师的严格是完全没有错误的。"

"是没错，不过我不写，因为他让我们自觉写，也不检查。"丁丁笑嘻嘻地回答爸爸说。

"牛老师说了数学日记怎么写了吗？"爸爸问丁丁。

"说了，不过我忘记了。"丁丁把牛老师的要求早扔一边了。没想到这时候爸爸从书桌上拿来一张纸，上面写的就是数学日记的格式：

今天数学课的课题：_____

最重要的知识点（公式、概念、原理）是：_____

我理解得最好的地方：_____

不明白的地方或不会做的题目：_____

我对哪个问题还有不同见解：_____

今天学习的内容能否应用在日常生活中，举例：_____

"你看，这样写日记不仅不用写很多字，而且学习的方式、知识的掌握、存在的困惑、不同的想法和应用的过程都包含在里面了，让你对自己的学习情况一目了然，这么好的方法，你为什么不试一试呢？"

"爸爸你怎么知道得这么清楚？"丁丁觉得不可思议。

"是牛老师告诉爸爸的！"

"不会吧？"

"刚才忘了跟你说了，牛老师看你最近学习不用功，知道你肯定没写数学日记，所以特地来咱们家做家访了。"

丁丁羞红了脸，心想：牛老师长了一根牛筋，惹不起！以后真的要好好学数学了。

1 学一学

好方法：**数学日记要巧记**。数学日记的作用不同于语文日记和英语日记，不要求文字多么优美，只需要把当天的学习内容和心得写清楚就行。

2 想一想

学好数学的四大好习惯，就是"听""想""做""问"。1. 认真"听"，即课堂上要集中思想，专心听老师讲课，认真听同学发言。2. 积极"想"，积极思考老师和同学提出的问题。3. 独立"做"，练习题要独立完成，不抄袭他人答案。4. 善于"问"，带着知识疑点大胆、主动地问老师、问同学、问家长。

3 练一练

关于"5"的算式

一天，莉莉和小军在一起玩数字游戏，莉莉给小军出了这样一道题：在4个"5"之间填入一些数学符号，使其结果分别等于1，2，3，4，5，6。你能帮帮小军吗？

5 5 5 5=1
5 5 5 5=2
5 5 5 5=3
5 5 5 5=4
5 5 5 5=5
5 5 5 5=6

英语"错误卡片"

　　丁丁的学习小组最近开了一个学习会议，大家想集中解决一个问题，那就是怎样减少英语学习中的重复出错。王晓旭首先提出了问题：英语知识点很多，有时候记不牢，就会一而再、再而三地犯同样的错误，怎么克服这个问题呢？

　　"我有一个很好的方法，就是总结'错误卡片'，把总是重复出错的地方记录下来。"金光的英语一直还不错，他首先亮出了自己的妙招。

　　"这和数学的错题本有什么区别呢？不就是把自己做错的题目抄下来吗？"姚伟有些不明白。

　　"这个卡片可不是随便记录的，而是要井井有条地记录以下项目：编号、改正目标、典型错误、更正、改正说明。"说着，金光把自己的卡片拿出两张来，给大家看：

编号：001

改正目标：名词用法错误

典型例句：I like to play a basketball.

更正：I like to play basketball.

改正说明：球类运动一般可以直接用名词表示。

特别注意：如果表示的是乐器的话，一定要在名词前加上定冠词"the"。如：I like to play the piano.

编号：002

改正目标：区分in和on

典型例句：We swim on the river.

更正：We swim in the river.

改正说明：in 表示在物体内部，on在物体上方。

特别注意：多收集例句，将in和on分清楚。

"哇！太详细了。"李玲玲和王珍珍她们看了这些卡片，也是赞不绝口。

丁丁心想："难怪金光的英语成绩总是比自己好，原来他有这么好的一个小窍门！我今天回家也开始做一本错误卡片，以后经常拿出来看看，我的英语错误就会越来越少了。"

每天三分钟，掌握好方法

好方法：及时更换卡片。 当经过多次复习不会再犯某个错误以后，就可以将该卡片剔除，然后补入新的错误卡片，这样自己的错误就会逐渐减少。

随着学习内容越来越多，错误卡片也会越来越多，这时候应该怎么整理呢？我们可以把这些卡片进行分类，比如按照知识类型可分为词汇类、时态类、语法类、写作类等，这样便于自己改正错误。

把正确的单词填入下面的空格中：

1. There's _____（篮球）on the table.

2. I've got two _____（篮球），One is red. The other is blue.

3. Is that your _____（篮球）? Yes, it's mine.

4. My favorite sport is _____（篮球）.

抽空也能记单词

"嘿！可爱的恐龙，你在干吗呢？抓紧时间打扫卫生啊！"丁丁一边扫地，一边对正在埋头学习的孙芳说。

"你才是恐龙呢！"孙芳头也不抬，小声回了一句。

丁丁总喜欢逗孙芳玩，因为他觉得孙芳胆子小，从来不会向老师打小报告。

"哈哈，我是不是恐龙，你说了可不算。"丁丁冲孙芳做了一个鬼脸。

"你……"孙芳还是低下头不做声。出于好奇，丁丁跑到孙芳课桌旁，想看看她到底在干什么。

"你在干什么啊？"丁丁扛着扫帚在孙芳面前晃了晃。

"我在整理今天看到的物品的英语名称。用张老师的话说，这叫'抽空学英语'。"

"怎样才能'抽空学英语'啊？要是你告诉我，以后我就

不叫你恐龙了！"丁丁调皮地对孙芳说。

"其实就是给自己营造一个英语环境，利用零碎时间记单词。比如看到每一样东西都要去想，它用英语怎么说？在家里，进了厨房，看到冰箱、微波炉、煤气炉、电饭煲、锅、碗等，要去查查这些用英语怎么说，然后把它们记下来。同样，走进书房，看到书桌、电脑、台灯；外出时，看到各种景物，如学校、电车、公用电话等。总之，自己周围环境中的每一样物件，我们都要想方设法记住它们的英语名称。这样积累下来，自己就能学到很多词汇，而且都是非常实用的词汇。"

"哈哈，原来是这样啊！我也学会了！"

"那你以后还叫我恐龙吗？"孙芳小声地问丁丁。

"不会叫你了，可爱的恐龙。"说着丁丁哈哈地笑着跑开了。

1 学一学

好方法：添加法记单词。 我们知道come是"来"的意思，那comet是什么意思？come加了一个t，而字母t是"天"的声母，所以我们可以这样理解comet是来自天外的彗星。comet是彗星的意思。

2 想一想

很多记忆材料都是很有特点的，所以我们在做记忆工作的时候，就要抓住记忆材料的特点进行记忆。比如 "晶"字，它是由三个一模一样的"日"字合在一起组成的新字。再比如smile这个单词，只要大家稍加注意就不难发现这个单词可以理解为：s后面有一英里（mile）。

3 练一练

试着用"想一想"中的方法，掌握以下英语单词。

1. beeline：直线
2. barn：谷仓
3. season：季节

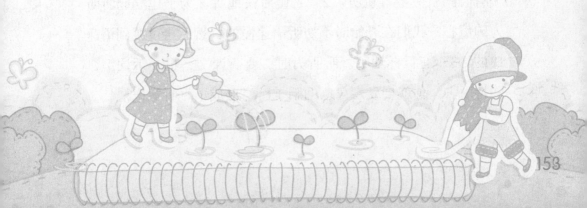

孔亮的听力建议

　　"哎，孔亮，每天晚上我妈妈总是让我听半个小时的英语听力，我都听烦了！"丁丁对班里的英语学习高手孔亮说。

　　"以前我妈妈也是那样要求我的，后来我发明了一套听听力的方法，讲给妈妈听后，妈妈再没要求过我了！"孔亮很得意地对丁丁说。

　　"噢？赶快说给我听听啊！"

　　"1. 随时随地地听。我们不一定非要拿出一定的时间去听听力，因为听力可以随时进行，比如茶余饭后、睡前醒后，一有时间就戴上耳机听。2. 先慢后快地听。为了建立起听听力的信心，我们在开始时不妨听语速慢的，然后再过渡到语速快的。3. 有目标地听。听听力时，要听课文，也要听词汇，坚持下去，你就会发现自己的脑子已经形成了'听觉记忆'，

以后碰上听过的词语，脑子里一下就能反应过来。4. 自录自听，自己用英语朗诵一段课文或者几个句子，录下来，自己听听自己的发音有什么问题。这样不仅可以增强自己的信心，而且还可以给学习添上一点趣味！"

"哈哈，孔亮你说得真好！"丁丁笑着对孔亮说。

"而且，除了上面那些方法，你还可以看电视或者收听英语广播啊。把电视调到英语频道，把英语节目的播出时间与名称记录下来，提醒自己准时收看，这对提高自己的英语成绩也是很有帮助的。"

孔亮说完后，丁丁心想：孔亮可真是我的大救星！我把这套听力计划也告诉妈妈，以后晚上的半个小时都可以用来打游戏了！哈哈！

每天三分钟，掌握好方法

1 学一学

好方法1：从基础开始。 大家在进行听力训练的时候，应该尽量从课本原文或者一些简单的对话入手，这样可以在一定程度上提高自信心。

好方法2：边听边记。 一边听英语录音，一边把听到的句子或单词写下来，对听了很多遍都听不懂的句子可以空在一边，等全部听完后再对照原文检查听不懂的内容。

2 想一想

我们怎样才能跟得上听力的节奏呢？清华大学的王振彤同学在谈到听力时说，刚开始听听力时他会放慢速度，努力模仿听力材料的发音，做到口型正确，把发音发到位，对于自己读不准或者较生疏的单词或句子，他会反复多听几遍。等自己模仿到位了，再加快听力的速度。

3 练一练

很多英语单词的发音相似，所以平时我们要格外注意这些发音相似的单词，以免出现混淆。试着把读音容易混淆的单词用下面的形式整理出来。

原单词	读音接近单词
genes（基因）	jeans（牛仔裤）
crash（交锋）	crush（压碎）

阅读理解怎么做

晚上放学回家后，丁丁打开电脑登录QQ，因为他今天很郁闷，在这次的英语单元测验中，阅读理解题他做错了一半。他想问问大家的做题情况。

看见群里人还挺多，丁丁就发了一条信息：大家这次的英语阅读理解题做得怎么样啊？

"打酱油，路过。嘿嘿。"一个匿名的人回了一条信息。

"别来捣蛋，说正事呢！"丁丁回复了一个发火的表情。

"我是代建，我觉得这次的阅读理解并不难，单词都是这个单元学过的。"

"我觉得也是，其实阅读理解并不难，关键是看你有没有掌握正确的做题方法。"一个网名叫"小燕子"的人说。

"那大家都有什么好的方法呢？"

　　"我知道一点，那就是你平时多读一些英语文章，比如故事类的、人物类的。文章中不认识的单词，你就摘录下来，写在本子上，并弄清单词的意思，以后再遇到这些单词，你就不陌生了。"网名"我爱篮球"说。

　　"在你做阅读理解前，可以先认真阅读一下题目，找出问题中的关键词语，用横线画出来，然后带着这个问题去看文章，这样针对性就更强了。"

　　"其实很多问题的答案就在文章中，你可以试着从中找出可以回答问题的句子。"

　　"加强对文章中关联词语的判断，比如：and／but等。"

　　……

　　同学们你一言我一语地给丁丁提了很多不错的建议。丁丁把大家的聊天记录都复制下来，心想："我要把大家的优点全部集中起来，以后就不怕阅读理解题了！"

每天三分钟，掌握好方法

学一学

　　好方法：忽略法。 在阅读的过程中，难免会遇到生词、难句。如果碰到生词、难句就追根刨底，其结果不但影响了阅读速度，也不利于养成良好的阅读习惯。因此，我们应该多从文章的总体篇章结构入手，越过少量生词、难句所造成的阅读障碍，领会文章的主体思想，之后再将生词弄懂。

想一想

　　复旦大学的李丽同学在谈到英语学习经验时说："不管课内还是课外，自己在做阅读理解的时候都要带着任务去阅读，这样的阅读才是最有效的。比如：（1）给语篇取个小标题。（2）回答与语篇相关的几个问题。（3）联系上下文猜几个生词的词义等，这些都可以提高自己的阅读能力！"

玩一玩

　　阅读时遇到陌生单词，把它们填入下表，努力将它们全部掌握。

阅读理解中的句子	陌生单词	该单词的意思	用法及例句

"练一练"参考答案

039. 怎样杜绝错别字

2. 白眼狼　3. 东道主

4. 铁公鸡　5. 地头蛇

040. 怎样扩大自己的"词汇量"

走：赶、挪、行、赴

听：闻、聆

说：讲、言、念、读

高兴：悲伤、伤心、忧郁、忧愁

简单：复杂、繁复、啰嗦

干净：肮脏、混乱、乱七八糟、邋遢

041. 正确理解词语的好方法

三个词指的都是本领。但是"自己有，而别人没有的本领"才叫绝技。

042. 培养对阅读的兴趣

项羽　王羲之　诸葛亮　赵括　曹植、曹丕
赵高　孙膑　勾践　晋文公　毛遂、孟尝君
曹操　韩信

044. 李玲玲的"图示法"

设男生人数是X，则女生人数是男生的4倍即为4X，由次数相等可以列出：

（4X-8）÷2=X-1

X=3（人）

求得男生人数为3人，则女生人数为：

4X=4×3=12（人）

故操场上共有12+3=15（人）

045. 做好例题是关键

每袋85.5÷（3×30）=0.95元，优惠后便宜1.1-0.95=0.15元

046. 惹不起的牛老师

55÷55＝1

5÷5+5÷5＝2

（5+5+5）÷5＝3

（5×5-5）÷5＝4

5+5×（5-5）＝5

55÷5-5＝6

047. 英语"错误卡片"

1. a basketball　2. basketballs

3. basketball　4. basketball

048. 抽空也能记单词

1. 我们认识bee（小蜜蜂）和line（线），所以可以这样记忆：蜜蜂走的线是直线。

2. 我们知道bar这个单词是"酒吧"的意思，而原单词中的n像一个门，所以我们可以这样记忆：酒吧开了一个门做谷仓。

3. sea是"大海"的意思，son是"儿子"的意思，所以我们可以记忆为：海是季节的儿子。

漫画丁丁

第六章

写作能力：
优秀日记、作文十法

　　虽然丁丁很喜欢语文课，可是日记和作文一直是让他头疼的难题。妈妈对丁丁说："写好作文需要掌握方法，并不断练习。"聪明的丁丁心想：只要自己努力，并且掌握写作方法，就一定能写出让大家羡慕的好作文！

如此夸张

夸张在作文中很重要，大家用夸张的手法说一个句子。

我哥的手指像胳膊一样粗。

我爸爸的胳膊像大腿一样粗。

我爸爸的肚子像水缸一样粗。

集中一点写日记

　　"妈妈，你看我写的日记行吗？"孙老师明天要检查日记，所以丁丁想把自己刚写好的日记给妈妈看看，最好让妈妈帮自己修改修改。

　　"今天早上起床后，我急急忙忙来到学校。第一节课是语文课，我听得很认真。第二节课是数学课，我有点犯困了。第三节是自然课，我又听得很认真，因为老师讲得很有意思。第四节是自习课，我复习得很带劲，老师也表扬我了。"妈妈接过丁丁的日记，看到丁丁在日记本上写了这样的一段话。

　　妈妈看完后，笑着对丁丁说："呵呵，宝贝，日记可不能这样写，你这样写就成流水账了。正确的写法是，在你每天晚上做完功课后，先不要动笔写日记，而是回顾一下今天的生活。最好闭上眼睛，让白天的情景像演戏一样，一幕幕、一场

场地在脑海里放映一遍，然后你应该把印象最深、感受最多的某一点抓住。"

"什么是印象最深、感受最多的事呢？"

"比如，你刚才告诉我白天上体育课的时候，老师让大家围着操场跑一圈，大个子姚伟摔了一跤，不过他还是继续跑完了，这种跌倒不放弃的精神是不是值得我们学习呢？你的日记就可以围绕这一个点去写。"

"嗯，妈妈说得有道理！"

"同样的道理，要写读后感，你就写最受启发的'读书一得'；要写爬山，就可以写自己到达顶峰之前的感受；要写参观展览会，也可以从某一件展品写起。总之，要把笔落到回忆的一个点上，选材要精，这样日记自然就写得集中，避免记成流水账了。"

"噢！我明白了，妈妈不愧为我的学习秘书！"丁丁伸出大拇指称赞妈妈，妈妈也乐了。

每天三分钟，掌握好方法

1 学一学

　　好方法：模仿记者。如果感觉写日记无话可说，你可以模拟一下小记者，采访一下爸爸妈妈，将他们一天的生活以日记的形式记录下来。这种做法不但可以提高写作兴趣，还能让你和爸爸妈妈多一些交流。

2 想一想

　　在写完日记以后，你能不能给自己的日记加上一个标题呢？尽管老师可能不要求写日记要加标题，但为了提高概括能力，我们可以尝试着给每篇日记都加个标题。日记标题的要求有三点：一是标题要准确，能准确表达日记的思想内容；二是标题要新颖；三是标题要简洁，不能太长，几个字就能提挈全文。

3 练一练

　　我们可以模仿课文中的好句子来练笔。比如《看企鹅》这篇课文中有这样一个句子：

　　小企鹅披着黑衣服，挺着白胸脯、圆滚滚的身子，张着一对翅膀，傻乎乎地站在那里，真有趣。

　　试着模仿这个句子，写一下小鸭子、小鸡、小猫等其他小动物。

日记应该记什么

丁丁从妈妈那里学到了"日记要集中写一点"的方法，日记的质量越来越高了。可是，日记每天都要写，有时候一天过得很平淡，没有发生什么趣闻，也没有什么新鲜事，这时候还真不知道应该写些什么了。

怎么办呢？丁丁托着腮帮子，愁眉苦脸地坐在书桌旁。

5分钟过去了，10分钟过去了，15分钟过去了……丁丁的日记本上还是白花花一片。实在没办法，丁丁只好打开电脑登录QQ，在班级群里发了一个求助信息："神啊，救救我吧！日记应该写什么啊？"

"是啊，我也还没写呢！"

"要是不用写日记该多好啊。"

原来不光是自己，大家都为写日记发愁呢。于是丁丁又发

了一条："要不我上网抄一篇得了。"

就在这时，"嘀嘀——"孙老师的头像亮了。丁丁一看，心想："糟了！被孙老师看见，明天又要批评我了。"

孙老师给丁丁发了一个敲打的表情，对大家说："今天每个人都想一想日记可以写些什么，明天的语文课大家一起讨论吧！我看现在太晚了，大家就不用写日记了，赶快休息吧。"

"耶！老师万岁！"

第二天，同学们带着五花八门的方法开始讨论了。

"我觉得可以找一个问题来写。比如'为什么要爱护动物？''为什么要绿化环境？'把对这些问题的想法写出来，就是一篇好日记。"李明明给大家开了个头。

"可以记摘录。把看到或读到的名人语录、格言、座右铭或优美词句摘录下来。"

"还可以续写课文。比如学完《狼与小羊》，可以自己设计另外一个结局，重新编一下这个故事。"

······

"不讨论不知道，原来日记还可以记这么多东西啊！今天的日记没问题了。"丁丁学到这么多方法，心里大大松了一口气。

1 学一学

好方法：剪贴法记日记。 日记的内容可以很丰富、很灵活，比如大家可以把自己喜爱的邮票、图画、照片贴在日记本上，并按图意写一句或一段完整的话加以说明。

2 想一想

随感日记也是日记的一种形式。写随感日记的重点在于写自己的感想。随感，可以是在读了一本书或一篇文章、看了一部电影、经历了某一件事后自己的感想。随感日记重点应该放在"感"字上。至于书本的内容、电影的情节、事情的经过等，都可以不作为重点来叙述。

3 练一练

按照表格填写"四到"（看到的、听到的、做到的、想到的），你就不会觉得日记无话可说了！

地点	内容 （看到的、听到的、做到的、想到的）
学校	
家里	
上学路上	
放学路上	
户外（公园、游乐场、小区……）	

6月18号的雪

　　"哈哈哈……笑死我了。"丁丁拿着一本书，在房间里笑得前仰后合。

　　"宝贝儿，你在看什么呢，乐成这样！"妈妈一边收拾房间一边问丁丁。

　　"妈妈，我在看《糗事一箩筐》呢，里面讲了几个人小时候为了应付老师检查日记，闹了笑话，真是太逗了！"

　　"噢？给妈妈念来听听啊！"妈妈很感兴趣地对丁丁说。

　　"好啊。"丁丁就选了几篇最好笑的讲给了妈妈听。

　　3月5日　星期三　晴

　　今天我写完作业没事了，就拿出妈妈缝衣服的针来玩，一不小心扎死了一只鸡，我很难过，我以后再也不玩针了。

　　6月18日　星期六　雪

今天下的雪真大，像鹅毛般一片一片飘下来，真好看。

2月30日 星期一 晴

今天一天都没有出太阳，真不好，爸爸买回两条金鱼，养在水缸淹死一条，我很伤心。

妈妈听后，也笑得合不拢嘴。她问丁丁："宝贝儿，你能看出这几则日记中的错误吗？"

"第一则是一根小小的针怎么能扎死一只鸡呢？太夸张了！第二则是6月18日，那是夏天，还不会下雪呢！第三则是2月没有30号，再说既然天晴，怎么会没有太阳？而且金鱼也不会淹死啊！"丁丁说完，又开始咯咯地笑起来。

"虽然这是几个笑话，但也能提醒我们，记录的事件要真实。只有真实地写出自己看到或经历过的事，你的日记才不会被别人当成笑话看！"妈妈不忘抓住机会教导丁丁。

"知道啦！"丁丁做了个鬼脸，连忙进屋继续看笑话偷着乐去了！

每天三分钟，掌握好方法

1 学一学

　　好方法1：想象要思想健康。很多学生喜欢展开丰富的想象，比如自动写作文的机器、能让自己不劳而获的神奇法术，这些想象都不是积极健康的事物，所以不要写进日记。

　　好方法2：对话法写日记。比如神七上天，你写给飞船的日记；秋天小·燕子飞走了，你写给小·燕子的话等等，这种方式可以使日记看起来更具有真情实感。

2 想一想

　　中考状元王斌同学在谈到日记的写法时，建议大家，写日记最好先从写观察日记入手。他说，这不仅可以培养个人的观察力，而且还可以为以后写作文积累素材。观察的对象可以是生活中发生的事情，也可以是科学实验，比如一颗种子从破土而出的那一瞬到长成一棵植物的过程，这些都可以记下来。

3 练一练

　　如果外星人在我家住一个月，那么……
　　请把后面的省略号补充完整，以日记的形式记下来。

练好作文的基本功

"张莉，每次你写的作文都被老师当成范文，可为什么我写的作文却这么差劲呢？"丁丁愁眉苦脸地问学习委员张莉。

"作文就像武艺一样，也是练出来的啊！"张莉用深刻的表情对丁丁说。

"哈哈，张莉你快告诉我，你是怎样练出来的吧！"

"有句话叫'练武不练功，到老一场空'，所以要写好作文，就需要把基本功练好。"

"作文的基本功？"

"对，作文的基本功要求我们做到'四多'。"张莉把她的方法详细地说给了丁丁听。

多观察：平时多注意观察自己的生活，对于周围的人物、

动物、植物和景物都要留心观察，做生活的有心人。

多读书：平时多读、多背诵一些好文章，就能从中学到一些写作的好方法。此外，还可以多阅读一些历史、地理等方面的书籍，增长知识、扩大视野。

多练笔：坚持写日记，坚持写读书笔记，写得越多，你脑袋里的素材就越多。

多思考：多对作文的标题和要求进行思考，想好后再下笔，才能把文章写深刻、写生动。对自己写完的作文也要多思考，想一想哪些地方写得好，哪些地方要改进。

"这'四多'不是什么写好作文的秘诀，却是建造作文高楼大厦的地基，少了这个地基，大厦也就成空中楼阁了！"张莉补充了一句。

"哇噻！张莉你怎么知道这么多呢？"

"多请教老师呗，这些都是我从孙老师那里取来的经！"

丁丁心想："看来应该是'五多'，还要把'多请教老师'这一点也加上，这样就更完美了！"

1 学一学

好方法：参照法。比如，自己在写完一篇关于"小·狗"的文章后，可以找出一些作家写"小·狗"的文章，认真比较自己的内容和表达方式跟作家写的有什么不同。通过这种比较，你能发现自己写作上的优缺点。

2 想一想

美国著名作家马克·吐温被人戏称为"作文迷"，因为他平时很注意观察和练笔，每次出门必定带纸和笔。有一次，他邀请一帮朋友去饭馆吃饭，看到一张菜单，很感兴趣，于是便拿出笔和纸就抄了起来，以致忘了招呼朋友。朋友很不高兴地问他："你是请我来看你抄菜单吗？"马克·吐温赶忙道歉。后来，他在自己的一篇小·说里就用到了这张菜单。

3 练一练

成语是我们写作文的重要素材，学习成语时我们也可以对成语进行分类。看看以下成语各属于哪一类：

肝胆相照、披星戴月、老奸巨猾、言而有信、弄虚作假、呕心沥血、悬梁刺股、开诚布公

1．描写忠诚的成语（　　　　）
2．描写虚伪的成语（　　　　）
3．描写勤奋的成语（　　　　）

擦亮你的作文标题

"爸爸，这次孙老师让我们写一场自己参加的有趣活动。我想写一场足球赛，行吗？"因为丁丁经常和爸爸下楼踢球，所以他想问问爸爸的意见。

"可以啊！你准备起一个什么样的作文标题呢？"爸爸关心地问丁丁。

"题目我早想好了，就叫——《小球迷丁丁》。"

爸爸听了，摇了摇头对丁丁说："这样就题不对文了。你要写的是足球赛，肯定要写足球赛的精彩激烈，而你的作文标题却是《小球迷丁丁》，着重介绍的是自己，这样就转移作文重心了。"

"那作文的标题应该怎么起呢？"

"《语文报》上有位特级教师曾经写过关于作文标题的几

点要求，我找出来给你看看。”

于是爸爸找出了《语文报》，把那篇文章给丁丁看了：

1. 作文的标题要有新意，能引人入胜，不能照搬照抄。比如，同样是写热爱家乡的作文，《苹果之乡——烟台》就比《我爱烟台》更形象、生动，作文内容也一目了然。

2. 作文的标题要具体，不能太空泛。比如：同样是表达同学们热爱读书这一主题的文章，《我爱读书》《书籍伴我成长》就比《读书》《书是人类进步的阶梯》更加具体。

3. 作文的标题要精练，不要累赘。作文的题目太长，就会给人一种啰嗦的感觉，比如《一件难忘的事》就比《发生在我小时候的一件难忘的事》简洁得多、精练得多。

“原来作文的标题还有这么多学问呢！我把我的作文标题改成‘一场精彩的足球赛’或者‘最精彩的进球’，是不是更好呢？”

“嗯，非常好！”爸爸点了点头。

“哈哈，我这篇作文一定会写得很棒的！”丁丁很有信心地对爸爸说。

每天三分钟，掌握好方法

1 学一学

好方法：运用修辞拟标题。 为了使自己的作文标题更有新意，大家可以将修辞法运用到标题中去，比如：《最灿烂的花朵——笑容》（比喻）；《我叫"把握"》（比拟）；《成才全靠父母吗？》（反问）等等。

2 想一想

有人喜欢在作文标题中加上标点符号，这有什么妙用呢？考入北京大学的李一思同学说："标点符号是无声的语言，用它们来拟写文题，不仅可以让标题显得清新活泼、形象生动，而且还会给人留下广阔的思维空间。如作文标题为'人生，丰富多彩！'，作者在标题中加入感叹号，使标题语铿锵有力，形象地表明了'人生没有固定格式'这一主题。"

3 练一练

利用上面学到的方法，为下面这段话定一个标题。

北京大学新学年开始了。一个外地学生背着大包小包走进了校园。实在太累了，他就把包都放在路边。这时，正好一位老人迎面走过来，年轻学生走上去说："您能不能替我看一下包呢？"老人爽快地答应了。那位新生于是很顺利地去办理了各种入学手续。一个多小时以后回来了，老人还尽职尽责地完成着自己的使命。年轻学生谢过老人，两人各自走去。几天之后，北大开学典礼，这位年轻学子惊讶地发现，主席台上就坐的北大副校长季羡林先生正是那一天替自己看行李的老人。

作文开头也需要技巧

　　"丁丁，孙老师说你最近在作文方面有很大的进步，她让我多跟你学学。"放学后代建对丁丁说。

　　"啊？真的？孙老师真是这么说的？"丁丁很高兴地问代建。

　　"是呀，丁丁你能告诉我作文开头该怎样写吗？我觉得作文的开头很难写。"

　　"这个嘛，这个嘛……我现在饿了想不起来了。"

　　"丁丁这个坏小子，一定是想让我请他吃东西。"代建心想，可是为了学习如何写作文的开头，他还是假装很乐意地对丁丁说："前面就有肯德基，我请你吃！"

　　"真的？代建你太好了！"丁丁连忙拉着代建跑进了肯德基。

　　"丁丁，你快告诉我作文开头该怎样写呀！"代建看着狼吞虎咽的丁丁，生怕丁丁不告诉自己。

"作文的开头嘛，有很多种写法，等我吃完这一口。"丁丁张大嘴，把最后一大口汉堡包塞进嘴里，然后心满意足地把方法告诉了代建。

1. 开门见山法。这种方法是文章一开头就直入正题，把自己要描写的人物、时间、地点全部交代清楚。这种开头一般用在记事作文里。

2. 提示中心法。这种方法是一开头就点明全文的中心，使读者对文章的中心思想有一个明确的了解，比如："生活在集体中间是幸福的，我深深地体会到了这一点。"这是《生活在温暖的集体里》一文的开头，文章一开头就点明了中心——生活在集体中是幸福的。

3. 设置悬念法。在写事的文章中，我们可以把事情的结果或文中的某个片段放在开头来写，这种方法可以激发读者强烈的兴趣。如《智斗奸商》一文的开头写到的："放暑假的第二天早上，我和表哥一块儿去买菜。走到菜场的北口，我就看到前面有很多人。我和表哥紧走几步，也围了过去……"

"哇！丁丁，你知道的怎么这么多呢！"
其实代建不知道，这些方法也是昨晚丁丁问妈妈才知道的。
"真不错，还吃了一顿免费的肯德基，嘿嘿。"丁丁乐坏了。

1 学一学

好方法：排比开头法。 如《幸福》一文的开头："什么是幸福？幸福是果园里果农望压满枝头果实的满脸喜悦，幸福是莘莘学子憧憬未来的动人笑脸，幸福是实验室里科学家又有新发现时的眉头舒展……"排比法可以加强文章气势，增加文采。

2 想一想

用名人名言当成作文的开头，不仅可以使你要表达的意思简明扼要，而且能集中表达文章主旨。比如在写一篇关于虚心好问的作文时，孔子说的"三人行必有我师"这句话就直截了当地表达出了全文的主题。

3 练一练

运用"学一学"中的排比开头法，写一个关于"母爱"的开头。

_____

_____

_____

_____

让你的作文有话可说

"妈妈，为什么我一看见作文题目就觉得没什么好写的呢？"丁丁皱着眉头对妈妈说。

"如果你写自己觉得有意思的事情，那你就有话说了。"

"什么样的事情才是有意思的呢？"丁丁反问妈妈说。

"比如你上次做的那个数学作业。"

妈妈一说，丁丁倒是想起来了，上星期数学课李老师给大家出的一道趣味题：

有六个杯子，前三个杯子里没有水，后三个杯子里都有水。请问怎样在不改变杯子顺序的情况下，把杯子的水变为"没有、有、没有、有、没有、有"。

丁丁回家后，让妈妈帮自己找来六个杯子，他把杯子摆过来换过去，费了很大的劲才得出了正确答案：原来，只要把第五个杯子的水倒入第二个杯子就成功了。第二天上课时，丁丁第一个说出了自己的做法，而且还到讲台上把结果演示出来了，结果李老师表扬了自己，自己回家后还跟妈妈吹牛了呢。

丁丁对妈妈说："嗯，这件事情的确很有趣，写起来一定很好写，因为是我自己的经历，而且印象深刻！"

妈妈点了点头，对丁丁说："对呀！写发生在自己身上的有意思的事情，这样就一定有话可说。在你写之前，妈妈再问问你，在那次作业中，你感觉哪一段最难忘呢？"

丁丁想了想，对妈妈说："李老师让我上台演示的时候，我很紧张，虽然我感觉答案是对的，但我还是害怕出什么状况！"

"所以，这一段心理活动你就要着重写出来！"妈妈接着补充说，"写作文最好是写那些有意思的事情，并且要着重写其中最有意思的情节！这样，作文就能写得精彩了。"

1 学一学

好方法：动笔之前先写提纲。 在动笔写作文之前，先想一想要写什么、怎么写。先把提纲列出来，安排好第一段写什么，第二段说什么，等等。有了提纲，心中便有了底，写起来就能顺理成章了。

2 想一想

同样的作文，我们怎样才能写得与众不同呢？一线教师告诉我们：立意是关键，因为新颖的角度是作文创新的核心。我们要以独到的视角去审题，尽量避开他人所常写。比如《真想做个差生》《世上只有爸爸"狠"》，这类作文立意新颖、直观，能迅速吸引读者的注意。

3 练一练

把读过的材料用下表的形式进行归纳、总结，等到写作时，我们还愁没得写吗？

我读过的材料	从中得到的体会	材料的适用范围
《我的母亲》	母爱的无私与伟大	适用于写母亲类的作文

抓住特点写人物

"叔叔，这是我写的作文，我现在作文写得可好了，我就快成为小作家了。"丁丁对周末来家做客的叔叔说。

"丁丁，你又在吹牛了吧？"妈妈听见丁丁的话，从厨房探出身来对丁丁说。

"噢？我看看咱们小作家的大作吧。"叔叔笑着，把丁丁的作文本拿过来仔细地看了起来。

叔叔随手翻开一篇，看到了这样一段话："我最熟悉的同学就要数我的同桌金光了，他总是在课上偷偷地画画。我最熟悉的人还有班长王晓旭，他是班长，他回答问题很积极。我最熟悉的还有李玲玲，她很聪明……"

叔叔看完后，笑着问丁丁："丁丁，老师给你们布置的作文题目是什么啊？"

"《我最熟悉的同学》。"

"丁丁你看，一个'最'字就把作文的范围限定了，最好是写某一个最熟悉的同学，不能写这么多。其次，你在描写人物的时候没有抓住重点，所以人物特点不是很鲜明。"

"叔叔，您说我该怎样写才更好呢？"丁丁尴尬地挠了挠头。

"每个同学的特点和个性都是不一样的。比如在你班里，有的同学可能憨厚老实，有的同学则机智淘气，有的同学说起话来像机关枪打连发，有的同学说话则慢条斯理、一板一眼。写人物的关键，就是要抓住人物最突出的特点来着力描写，这样才能把人物写得生动形象。如果只是一笔带过，没有具体的事件来支撑这个人物特点，文章就会显得很空洞，也没有说服力。"

"叔叔，我明白了，那我把这篇作文仔细改改，再给你看吧！"

后来，丁丁在作文里着重写了班里的"小巨人"姚伟，并通过篮球比赛突出了姚伟的身材优势和体育才能。叔叔看完修改后的作文，大大地表扬了丁丁。

1 学一学

好方法：用故事刻画人物。写人物不能光说，还要从发生在人物身上的故事入手，用故事来突出人物的特点。比如《我的叔叔》这篇作文，就可以用发生在叔叔身上的几件事来描写他的特点。

2 想一想

写好人物的另一个关键是抓住外貌描写。那么，在作文中，什么情况下描写人物的外貌比较合适呢？高考文科状元陈奇亮同学说："人物的外貌描写可以在以下三种情况下介绍：（1）在文章开头概括介绍人物的外貌。如：'我的同桌徐强身高一米五二，身材粗壮，圆脸庞，浓眉大眼，鼻梁微隆，说话脆生。'（2）人物在文章中出现时描写外貌。如：'寻声望去，莉莉朝我跑来。她身材苗条，脸庞白皙，浓眉大眼，很秀气。'（3）在介绍人物时描写外貌。如：'搬家前我有个非常要好的同学叫王小芳。她长得清秀，细眉微挑，一双杏眼，说话甜润。'"

3 练一练

把相应的历史人物填入下列歇后语中：

（　　）钓鱼——愿者上钩　　（　　）斩（　　）——正人先正己

（　　）削发——半路出家　　（　　）用兵——以一当十

（　　）打仗——常胜　　　　（　　）用兵——虚虚实实

丁丁爱上"压缩饼干"

  "叔叔，老师说写好作文要多积累素材。而积累就是摘抄，那么多内容都抄写下来，多麻烦啊，而且还浪费时间！"丁丁上次从叔叔那里学到了写作文的方法，作文有了很大的进步，所以这次遇到写作问题，他连忙给叔叔打了个电话。

  "嗯，写好作文离不开刻苦练习，还需要不断地积累材料。叔叔教你一招，可以将写作素材压缩起来，就像压缩饼干一样，体积小却营养足啊！"

  "哈哈，真有趣。叔叔快告诉我该怎样压缩呢？"

  "我给你举一个例子吧。比如我说几个词语'猎人、口技、鸡叫、狐狸、狼、老虎'，这其实就是一块压缩饼干，等到你要写作文的时候，用'开水一泡'就变成了一个故事：'从前有一个狩猎技术很差的猎人，他总想着凭借口技获得

猎物，比如学几声鸡叫，把狐狸诱骗到他的陷阱里。一天他去打猎，躲在大树后面学鸡叫，没想到把狐狸和狼都引来了。狼和狐狸相见，就打了起来，不一会儿狐狸就被咬得奄奄一息。猎人一看，连忙学老虎的叫声，吓跑了狼。正当他准备去捡战利品的时候，不料虎吼声却引来了真的老虎，最后猎人变成了老虎的晚餐。'你想一想，如果老师让大家写一篇'做人要靠真本事'的作文，这则材料不是很好吗？"

"是呀！这个故事还真是用这几个词语串起来的！"

最后，叔叔还不忘嘱咐丁丁："刚开始用这个方法的时候，压缩词语可以多记几个，免得自己忘记；另外，这些压缩词语要经常拿出来看，才不至于忘掉素材，否则是起不到什么作用的！"

"嗯！我记住了！"丁丁很高兴自己又学到了新方法。

1 学一学

好方法：建立电子文档。大家可以在电脑中建一个word文档，把自己搜集到的写作材料整理到文档中，这样不仅查阅起来方便，而且容量大，保存的时间也比较长。

2 想一想

以高分考入清华大学的陈珊同学说："大家在积累作文素材时，不要忘记报纸和新闻节目。因为比起书籍来，报纸和新闻节目中的材料更具有时代性，从新闻节目或报纸入手，不仅可以让我们掌握当前最新鲜的素材，而且也便于拓宽自己的知识面。"

3 练一练

大家在摘抄作文素材的时候，一定别忘记了古典诗词哦！在作文中恰当地运用古诗词，可以使你的作文更加精彩。在下面诗句的空白处填入不同的花，看自己能不能全填正确。

荷花　菊花　桃花　梨花　杏花　桂花　梅花　葵花

1. 人面不知何处去，（　　）依旧笑春风。
2. 接天莲叶无穷碧，映日（　　）别样红。
3. 待到重阳日，还来就（　　）。
4. 更无柳絮因风起，惟有（　　）向日倾。
5. 借问酒家何处有，牧童遥指（　　）村。

好作文是修改出来的

上课铃响后，孙老师抱着一摞作文本进来了。出乎丁丁的预料，孙老师并没有像以前一样对作文进行点评，而是把大家的作文随机发下去了，要由各个小组的成员评出最优秀的作文，然后选一个代表站起来读给大家听。

丁丁心想：要是我的作文能被评为优秀，那该多光荣呀！

大约过了15分钟，孙老师先让第一组的同学起来，读他们选出的优秀作文。王丽站起来，开始大声读：我最熟悉的同学是姚伟，他个子很高，我们都叫他小巨人……

丁丁一听，这篇作文不就是自己写的吗？

"哈哈！梦想成真了！"丁丁捂着嘴差一点笑出声来，他用眼瞄了一下四周，发现没人注意他，眼睛一挤又笑了起来。

王丽接着念丁丁的作文："姚伟就像姚明一样，很会打篮

球。有一次比赛，姚伟带球冲向对方的禁区，对方的中锋出来封堵，两人碰在一起，结果倒在地上了……"

读到这里，孙老师突然打断了王丽，然后笑着问同学们："是姚伟把对方中锋撞倒了，还是他自己倒了？"

全班同学有的说是对方，有的说姚伟，有的说两人都倒了。丁丁听着，急得满头大汗，恨不得跳上讲台给大家说清楚到底是谁倒了。

孙老师让大家安静下来，听王丽念完整篇作文，然后补充道："大家看，这篇作文写得的确很不错，但是我们在写完作文以后，一定要注意修改，认真地读一读每句话，然后再从内容、标点符号等多方面进行增、删、改。只有经过修改，作文才会更完美！"

下课后姚伟问丁丁："这篇作文是谁写的，当时明明是对手倒了，怎么写成我也倒了？"

丁丁挠了挠头笑着对姚伟说："不知道，你问别人吧。"

每天三分钟，掌握好方法

1 学一学

　　好方法：好句画一画。在修改作文的时候，既要找出错误，但也别忘鼓励自己，比如可以画出自己比较满意的句子或字词，加上自己的评论，写上自己欣赏的理由。这样可以让自己既改正了错误，又可以在以后的作文中充分发挥自己的优点。

2 想一想

　　"七查"助你写好作文。在大家写好作文后，为了使作文更加精彩，我们可以根据写作要求，从以下几个方面检查和修改：一查审题是否正确；二查中心是否明确；三查材料是否典型；四查内容是否具体；五查层次是否分明；六查语句是否通顺；七查标点是否正确。

3 练一练

　　想要提高作文水平，首先应从修改句子开始。看一看以下句子都存在哪些毛病：

　　1. 厨房里有锅、碗、瓢、盆、蔬菜等炊具。
　　2.《全家去尝菊》
　　3. 我们只要努力学习，才能报答老师对我们的培养。

053. 6月18号的雪

可以从外星人的长相、生活习惯、自己见到外星人后的表现等方面进行描写。

054. 练好作文的基本功

1. 肝胆相照、言而有信、开诚布公

2. 老奸巨猾、弄虚作假

3. 披星戴月、呕心沥血、悬梁刺股

055. 擦亮你的作文标题

"金子般的平常心""留住诚信""人与人只须平视""不必仰视,不可俯视"等。

056. 作文开头也需要技巧

1. 母爱就是一生相伴的盈盈笑语,母爱就是漂泊天涯的缕缕思念,母爱就是儿女病榻前的关切焦灼,母爱就是对儿女成长的殷殷期盼。

2. 母爱是迷航的灯塔,指引着前进的方向;母爱是冬日的阳光,温暖着赤子

的心灵;母爱是尽职的卫士,保护着幼小的生命;母爱是春天的细雨,滋润着干涸的土地;母爱是秋天的金黄,展现着丰收的喜悦。

058. 抓住特点写人物

姜太公　包公、包勉　杨五郎　孙武　赵子龙　诸葛亮

059. 丁丁爱上"压缩饼干"

1. 桃花　2. 荷花　3. 菊花　4. 葵花

5. 杏花

060. 好作文是修改出来的

1. 蔬菜不属于炊具,所以应该改为:厨房里有锅、碗、瓢、盆等炊具和蔬菜。

2. 原题中出现了错别字,应改为《全家去赏菊》。

3. 关联词使用错误,应改为:我们只有努力学习,才能报答老师对我们的培养。